W9-CTZ-010

DU MÊME AUTEUR

L'IMPARFAIT DU PRÉSENT

ALAIN FINKIELKRAUT

L'IMPARFAIT DU PRÉSENT

Pièces brèves

GALLIMARD

QU'EST-CE QUI SE PASSE ?

Ne pas faire de plan, disait Péguy, *suivre des indications.* Pour comprendre l'homme, le monde ou, au moins, l'époque, remplacer l'éternelle question : « Qu'est-ce que... ? » par l'inlassable question : « Qu'est-ce qui se passe ? » Travailler, avec patience, *dans les misères du présent.* Laisser à la stupeur le temps de trouver ses mots. Ne pas écrire un journal, ne pas tomber dans la chronique, ne pas tenir le registre de mes premiers mouvements, ne pas fixer chacune de mes impressions, ne pas thésauriser mes humeurs, mais déchiffrer comme l'énigme du Sphinx chaque interpellation par les circonstances. Penser sur le mode de la hantise et non du système. Préférer l'insistance de l'émotion à l'exhaustivité de l'inventaire. Plutôt que de m'évertuer à tout couvrir, effectuer des prélèvements. Extraire le mémorable du flot de l'actualité. Suspendre, pour cette opération, le partage canonique de l'éminent et de l'anodin. Tenir les détails en haute estime. Ne pas prendre l'information pour le fait ni non plus l'information embarrassante pour une construction malveillante. Me méfier de la méfiance autant que de la crédulité ; soupçonner le recours systématique au soupçon de protéger l'intelligence contre les insolences de la réalité. Chercher la vérité dans ce qui apparaît et non derrière les apparences. Aller et venir entre ces deux fidélités : la contingence et le concept. M'interdire les indiscrétions ou les racontars tout en empêchant les noms communs d'abolir les noms propres et de dissoudre dans le déjà-vu les actions ou les situations déconcertantes. Placer les idées générales sous la surveillance des cas particuliers. Confronter sans relâche la fatalité des processus à l'imprévisibilité de la conjoncture. Renoncer, pour interroger les événements, au désir de surplomber une fois pour toutes l'histoire : voilà les principes que j'ai essayé de mettre en œuvre tout au long de la première année de ce qu'il est convenu d'appeler le troisième millénaire...

L'exorbitante injonction

« Combien d'années, de décennies faudra-t-il pour que ceux qui parlent et agissent au nom des droits de l'homme analysent le conflit israélo-palestinien comme un fait colonial ? »

Le troisième millénaire commence pour moi avec cet appel reçu au courrier et signé, entre autres, par Étienne Balibar, Pierre Vidal-Naquet, Rada Ivekovic, Michel Surya, Alain Prochianz.

« Nous soutenons la lutte du peuple palestinien jusqu'à ce que tous ses droits soient respectés », déclarent solennellement les pétitionnaires. Respectés par qui ? Par Israël bien sûr. Personne (pas même les intéressés) ne rappelle jamais que la Jordanie était partie intégrante de la Palestine avant d'être confiée à la dynastie hachémite, ni que ce royaume s'est approprié jusqu'à la guerre des Six-Jours, et sans autre forme de procès, le territoire alloué aux Palestiniens par le partage de 1947, ni enfin que ces derniers constituent toujours la majorité de la population jordanienne. Au vu de cette amnésie généralisée, on est fondé à dire que leur identité nationale et leur popularité mondiale se nourrissent exclusivement du face-à-face avec l'État juif. Mais peu importe en vérité : j'apporterais moi aussi un soutien total à la lutte du peuple palestinien si celle-ci avait l'indépendance pour finalité et pour conséquence le démantèlement des colonies juives installées sur son territoire : qu'y a-t-il de plus choquant, de plus absurde (et de moins sioniste) que ces ghettos armés ?

Seulement voilà : en refusant de signer la paix qui faisait droit à leur désir d'État, les Palestiniens (ou, au moins, leurs représentants) ont clairement signifié qu'ils revendiquaient autre chose. Quoi ? Le droit au retour. Comme les Juifs, dans leur patrie libérée ? Vous n'y êtes pas : en Israël. Ils voulaient sortir du face-à-face non par la séparation, mais par l'étreinte.

Combien d'années, combien de décennies faudra-t-il à nos progressistes pour prendre acte de la singularité du conflit israélo-palestinien ? Car enfin, les peuples colonisés n'ont jamais remis en cause la légitimité des métropoles ni *a fortiori* programmé la lente absorption de celles-ci dans une entité où ils finiraient par être majoritaires. Ils luttaient pour *leur* État, non pour s'installer dans les frontières de l'État dont ils subissaient le joug. Ils ne revendiquaient pas la double appartenance. Ils ne voulaient pas à la fois partir et rentrer, rompre et revenir. Ils ne jouaient pas sur les deux tableaux du divorce et de l'habitation commune. Le modèle de la sortie d'Égypte leur interdisait d'ériger la puissance coloniale en terre promise. Sauf à choisir une tout autre logique que celle de la reconnaissance ou de la décolonisation, le désir d'avoir un chez-soi implique la renonciation (mutuelle) au droit d'être chez soi chez l'autre. Mais, précisément, et malgré l'eau qui a coulé sous les ponts depuis le congrès de Bâle, toute la question est de savoir si les Juifs sont chez eux en Israël. On croyait cette question résolue par les accords d'Oslo. On se trompait. La page du refus n'est pas tournée. Et le Liban prévient : il veillera scrupuleusement à l'exercice du droit au retour en exigeant, dès sa promulgation, le départ des Palestiniens qui vivent sur son sol. Si le Liban est imité, ce sont des centaines de milliers de Palestiniens qui seront chassés demain des pays frères par solidarité avec leur juste cause...

Mais rien n'entame nos progressistes. Rien ne les fait douter. Pour réparer ses crimes, et d'abord celui *d'être né*, Israël ne doit pas seulement se retirer des territoires conquis en 1967, il lui faut partager sa souveraineté sur ceux de 1948... Quel nom donner à cette injonction et à l'inextinguible animosité dont elle témoigne ? Bien loin d'être des antisémites, nos progressistes se mobilisent, prêts à en découdre, dès qu'ils aperçoivent une croix gammée et, quand ils n'en voient pas, ils les plantent comme Coline Serreau dans le décor de sa mise en scène de *La Chauve-Souris*. « Haider ne passera pas ! » fait-elle dire à Johann Strauss.

La fureur antisioniste se combine donc avec l'intransigeance antifasciste pour fixer à la vigilance de l'an I son double ordre du jour : intégrer le rejet de l'État juif dans la chanson de geste de l'humanité en marche vers la lumière et pourchasser sans pitié les fantômes du nazisme et de Vichy. Quelle vaillance ! Quel à-propos ! Quelle présence d'esprit et de cœur !

Mettre une casquette Nike
au vieux dictionnaire

Le XXIᵉ siècle est à peine installé dans ses meubles que déjà *Le Petit Robert* de la langue française lui montre patte blanche et fait la réclame de sa nouvelle édition en présentant des exemples qui sont autant de mots de passe. Ainsi « boulot », agrémenté par cette sentence de Coluche : « Le boulot, y en a pas beaucoup. Faut le laisser à ceux qui aiment ça. » Ainsi « plomb », soustrait à la morne matière et rendu à la vie par cette citation d'Izzo : « Le tango, la nostalgie : il valait mieux arrêter. Je pouvais péter les plombs avec ça et j'avais besoin de toute ma tête. » Ainsi encore, sur un registre plus lyrique et plus doux, le mot « arabe », talentueusement cuculisé par Daniel Pennac pour la bonne cause du jour : « Qui dit que l'arabe est une langue gutturale, voix sèche du désert, râle de sable et de ronces ? L'arabe est langue de colombe, aussi, promesse lointaine des fontaines. »

Nul désordre dans ce capiteux bouquet mais un message : « Jeunes, il ne faut plus avoir peur ! On vous terrorisait en vous confrontant à des termes inconnus, on vous mettait sadiquement en contact avec l'inépuisable nouveauté de ce qui est plus ancien que vous, on vous sommait d'honorer la langue et de révérer son génie… Moi, le dico, je vous dis que ce cauchemar est terminé : c'est à la langue désormais qu'il incombe d'homologuer vos performances et de répondre présent. Mon rôle n'est pas de vous dresser ou de vous corriger, mais d'être à votre écoute. Je ne suis pas normatif, je suis branché. Je ne dicte plus, je prends sous la dictée. Je ne prescris rien, je transcris. Et plutôt que de défendre hargneusement mon pré carré, j'accueille l'étranger à bras ouverts. Sous mes airs austères, il y a un cœur qui bat pour toutes les victimes de l'exclusion. Le purisme n'est pas ma tasse de thé, car je ne connais pas d'autre bon usage que l'usage, pas d'autre valeur que le mouvement, pas d'autre loi que celle de l'hospitalité. Modèle, moi ? Non : reflet. La société bouge, je me lâche aussi. Le monde change, je mute et je danse avec lui. Mes pages sont à la page et quand j'en appelle à la littérature, ce n'est pas pour vous mortifier ou vous enchaîner au verbe rance des classiques bien de chez nous, c'est, comme vous le voyez, pour donner le cachet de l'idéal à votre actualité métissée et rebelle. Alors, s'il vous plaît, un peu d'irrespect : cessez de me confondre avec les quarante coincés du quai Conti ! Mon parti, c'est la vie. Mon drapeau, c'est la différence. Mon camp, c'est celui des adolescents : j'ai choisi la liberté et j'ai mis les mots à l'heure des droits de l'homme. »

Pour bien montrer qu'il n'est pas bégueule et qu'il a quitté sans retour la patrie des gérontes au protocole compassé, *Le Petit Robert* inclut crânement dans son encart publicitaire le mot « niquer », avec cet aperçu d'un roman de Philippe Jaenada : « J'avais commencé à inviter les filles au restaurant dans l'espoir de les niquer. »

Cool.

L'adieu laïque au principe de laïcité   *10 janvier*

Péguy, 1902 : « Il ne faut pas que l'instituteur soit dans la commune le représentant du gouvernement ; il convient qu'il y soit le représentant de l'humanité ; ce n'est pas un président du Conseil, si considérable que soit un président du Conseil, ce n'est pas une majorité qu'il faut que l'instituteur dans la commune représente : il est le représentant né de personnages moins transitoires, il est le seul et l'inestimable représentant des poètes et des artistes, des philosophes et des savants, des hommes qui ont fait et qui maintiennent l'humanité. Il doit assurer la représentation de la culture. C'est pour cela qu'il ne peut pas assurer la représentation de la politique, parce qu'il ne peut pas cumuler les deux représentations[1]. »

Personne, en 2001, ne songerait à faire des enseignants les porte-parole du gouvernement. Nul pouvoir politique n'oserait, du moins sous nos climats, les mettre à son service ou leur insuffler son idéologie. Mais aux nostalgiques, aux attardés qui se voient encore en représentants des poètes, des artistes, des

---

1. C. Péguy, *De Jean Coste*, in *Œuvres en prose*, I, Gallimard, « Bibliothèque de la Pléiade », 1987, p. 1057.

philosophes et des savants, les sociologues rétorquent brutalement que la définition des programmes ne doit plus être « le monopole de ceux qui en vivent ». Car, comme l'expliquent François Dubet et Marie-Claire Duru-Bellat, chercheurs (l'un au Centre d'analyse et d'intervention sociologique, l'autre à l'Institut de recherche sur l'économie de l'éducation), « ce qui fait la valeur de la formation, ce n'est pas l'excellence acquise dans les dimensions les plus abstraites, les plus coupées du monde, d'un savoir *sacralisé*, vénéré mais qui ne compte guère, mais bien ce qui permet aux élèves de se sentir plus grands, plus intelligents, plus critiques, plus utiles à la société, mieux en phase avec le monde d'aujourd'hui[1] ».

Et sur cet aujourd'hui, sur les compétences générales ou les savoir-faire pratiques que la réalité présente requiert « au quotidien », les entreprises, les médias, le tissu associatif, les parents d'élèves et les « jeunes » eux-mêmes ont des choses souvent plus pertinentes à proposer que les enseignants éloignés du terrain par l'archaïsme de leurs références et l'abstraction de leur discipline.

Le principe de laïcité que défendait Péguy n'avait pas pour seule vocation de soustraire le gouvernement des hommes aux serviteurs de Dieu. La disjonction du temporel et du spirituel était moins décisive à ses yeux que l'indépendance de l'ordre spécifiquement spirituel

---

1. F. Dubet, M. Duru-Bellat, *L'Hypocrisie scolaire*, Seuil, 2000, p. 177-178.

à l'égard de la tutelle sacerdotale, de la puissance publique *et* du pouvoir social. Sanglés dans le bel uniforme qui les séparait du monde profane, ses « hussards noirs » incarnaient la résistance *à tous les « tout »* : le tout-social, comme le tout-politique ou le tout-religieux. En s'employant par la représentation de la culture à « faire revivre ce qu'il y a de grand dans les morts et dans les grands morts » selon la belle formule d'Alain, l'école *niait l'évidence*, c'est-à-dire l'identification de l'humanité avec la société visible, vivante et tourbillonnante.

Cette laïcité est hors d'usage. Cette représentation a sombré dans l'anachronisme. Ce qui est désormais tenu pour laïque, c'est la *désacralisation* de la vie de l'esprit et la détermination par *nous tous* des contenus de la culture. À l'instar du dictionnaire, l'école se rend donc à l'évidence. Là comme ailleurs, l'humanité et la société ne font plus qu'un. Les maîtres qui distinguent encore ces deux instances sont les prêtres de l'ultime religion à abattre : toutes affaires cessantes, il leur faut abjurer ou changer de carrière.

Inconséquence

Le Monde diplomatique annonce le réveil de la gauche israélienne. La gauche, c'est-à-dire, en l'occurrence, la critique du langage de la force et la vertu de modération contre toutes les variantes — nationaliste, religieuse, sécuritaire — de l'extrémisme.

Mais ni vu ni connu, le mot change de sens quand on change de camp : la gauche palestinienne a tout l'éclat de l'intransigeance, et la radicalité accapare la fonction critique, sous les vivats du progressisme. Aussi est-il dans l'ordre que cette gauche avalise le rejet du compromis (c'est-à-dire d'un État palestinien avec Jérusalem-Est pour capitale) au nom d'un droit au retour qui, à terme, ferait des Juifs d'Israël une minorité ethnique à la merci des Arabes.

On attend donc des uns qu'ils combattent l'*hubris* et des autres qu'ils y cèdent. Le même vocable valorise, du côté israélien, le respect dégrisé des limites et, du côté palestinien, l'ivresse de la démesure. Cette homonymie nourrit la tragédie.

La justice et le cinéma des anges   *17 janvier*

Mon premier séjour à Zagreb date de décembre 1991. La ville de Vukovar venait d'être détruite et les réfugiés croates affluaient de toutes les régions de Croatie occupées, pour le compte de la Serbie, par l'armée yougoslave. L'opinion française ne dormait plus alors, mais elle n'était sortie du sommeil de l'indifférence que pour stigmatiser les protagonistes des deux camps. La distinction entre le combat pour l'indépendance et le combat pour l'hégémonie n'avait pas droit de cité : le même mot de nationalisme disqualifiait l'une et l'autre attitude. Notre intelligentsia donnait alors l'Europe en exemple aux tribus. Sous le patronage philosophique de Jürgen Habermas, elle opposait l'éthique de la discussion à la crispation identitaire et, avec Edgar Morin, elle offrait à ces peuples en bataille la céleste alternative : association ou barbarie.

Neuf ans ont passé. La guerre est derrière nous, l'association *et* la barbarie aussi ; je suis à Zagreb où l'on ne parle que de la probable inculpation par le Tribunal pénal international de La Haye des généraux et des dirigeants politiques impliqués dans la reconquête de la Krajina en août 1995. La justice s'apprête à faire retomber sur le crime la nuit où tous les chats sont gris qui a autorisé sa perpétration. Et l'affaire yougoslave se termine comme elle a commencé : dans la confusion et l'équidistance. À la tribalisation de tous succède l'incrimination généralisée.

Au terme d'un siècle ouvert par le génocide des Arméniens et ponctué depuis lors par tant de massacres administratifs, il fallait sans nul doute creuser la brèche de la justice internationale dans le mur de la souveraineté. Mais *international* veut dire *parmi* les nations. Or, à l'instar de Carla del Ponte, l'inflexible maîtresse d'école du pays du coucou qui dirige leurs investigations, les juges de La Haye n'appartiennent pas au même monde que ceux qu'ils poursuivent. Ce n'est pas l'humanité qu'ils représentent, mais une métahumanité helvétisée, pasteurisée, aseptisée, désincarnée et qui ne sait plus rien des affres de la condition humaine. Envahir un territoire ou le libérer : cette différence n'est d'aucun poids pour les anges de la posthistoire qui peuplent le TPI. Si les Croates cèdent à leur sommation, on dira partout qu'ils se démocratisent et qu'ils empruntent enfin la route de la civilisation. S'ils choisissent, en revanche, de soustraire le sens de leur histoire à la justice des anges, cet incompréhensible sursaut moral leur vaudra, une fois encore, la réprobation universelle.

Dans quelques jours, on pourra voir en salle *Harrisson's Flowers*, le film américain du cinéaste français Élie Chouraqui. Harrisson est un photographe envoyé par le magazine *Newsweek* pour couvrir la guerre en Croatie. Nous sommes en octobre 1991. Quelques jours après son départ, la nouvelle tombe : il a été tué dans un bombardement. Mais sa femme, d'abord anéantie, refuse ensuite d'y croire : on n'a pas retrouvé le cadavre, Harrisson doit être encore en vie. Elle se lance donc à sa recherche. Jetée brutalement au cœur des ténèbres, elle rencontre deux preneurs d'images qu'elle convainc de lui venir en aide et elle finit par retrouver Harrisson dans l'hôpital de la ville dévastée de Vukovar.

La Croatie est ici le décor d'une aventure dont les héros ne peuvent être les combattants, tous insensés, tous sanguinaires, mais des journalistes qui s'expriment dans la langue mondiale et qui mettent leur vie en péril pour faire voir les atrocités et sauver l'un des leurs. Loin de chez eux, ils vivent entre eux et, qu'ils souffrent eux-mêmes ou qu'ils enregistrent la souffrance des « populations civiles », c'est toujours pour eux que nous versons des larmes. Dans ce pays où tonne le canon et que traversent les *silhouettes* tremblantes ou terrifiantes des autochtones, eux seuls se détachent, eux seuls émergent comme *individus,* eux seuls relèvent du cinéma parlant et construisent une histoire... C'est leur charme qui nous subjugue, c'est leur destin qui nous importe. Aux « yougos » indistincts, la fureur inintelligible et le malheur anonyme. À ces risque-tout, l'honneur, les fleurs, et le nom. Ils cumulent les deux rôles du chevalier et de l'aède. Leur témoignage est une action d'éclat. Ils sont à la fois Homère et Achille.

Malgré quelques scènes très fortes et très justes qui restituent le chaos d'un combat sans règles, on n'apprend rien dans *Harrisson's Flowers* sur ce qui se passait en Croatie à l'automne 1991. Un mur infranchissable sépare, tout au long du film, les protagonistes de l'épouvante et les personnages de l'épopée. Ces images à la gloire des images encensent le seul exploit que notre temps reconnaisse et révère dans la guerre : l'exploit de la filmer. Les reporters sans frontières sont les soldats de la posthistoire, et, à travers eux, la méta-humanité, non contente de regarder de haut l'humanité belligérante, confisque à son profit le lustre encore attaché aux histoires humaines.

Le jeu de l'arabette

Ceux qui pensent, pour s'en réjouir ou pour s'en désoler, que l'utopie a déserté notre monde devraient lire *La Grande Transgression*, l'essai que le professeur Bernard Debré consacre aux nouveaux pouvoirs de la médecine. Ils y constateraient qu'à peine abandonné par la politique, l'espoir d'une révolution de la condition humaine a été pris en charge par la science. Des maux qui relevaient autrefois de la constitution des êtres — comme la stérilité, la ménopause, l'angoisse existentielle, le défaut de performance sportive — tendent à devenir médicalement curables. La naissance qui était, il y a peu encore, un événement, change de statut : elle relève maintenant d'un processus de fabrication de mieux en mieux contrôlé. Et voici venir les temps où les parents pourront combiner les gènes qu'ils jugent les plus acceptables, les plus désirables ou les plus pertinents pour l'enfant qu'ils voudront *réaliser* : « Autrement dit, j'ai un stock de gènes codant pour telle taille, pour les yeux bleus et les cheveux bruns, j'ai aussi le gène codant pour le don musical, qu'as-tu, toi, à me proposer comme gène pour qu'on puisse imaginer notre fils/ou notre fille[1] ? »

1. Pr B. Debré, *La Grande Transgression*, Michel Lafon, 2000, p. 116.

Qui a dit qu'avec l'écroulement des religions séculières la mélancolie démocratique était à l'ordre du jour ? Le lyrisme domine, non la résignation : les biotechnologies promettent de libérer l'humanité du joug de la nature et, pour préparer à ce grand bricolage procréatif, un jeu va bientôt faire fureur sur Internet : le jeu de l'arabette.

L'arabette est une plante assez commune sur nos alpages. Elle n'a que cinq chromosomes et vingt-cinq mille gènes. Toutes ces informations seront mises à la disposition de l'internaute qui, si l'on en croit Bernard Debré, pourra modifier tel ou tel gène afin de voir la plante évoluer selon sa fantaisie : « Plus ou moins grande, plus ou moins touffue, on pourra même changer la couleur des fleurs [...]. Plus besoin d'attendre plusieurs générations cultivées pour voir les effets d'une mutation. D'un simple clic, on pourra faire grandir ce plan en quelques secondes ; un autre clic, une base de gène codant pour le bleu est changée, et la plante donne des fleurs rouges[1]. »

Les yeux rivés sur la gentille arabette, nous quittons le monde lourd de la *nécessité* pour celui, vertigineusement ductile, de la *possibilité*. La technique se met au service du rêve. Et contredisant la réputation que lui ont faite tant de poètes, le rêve n'abolit pas l'ordre, mais le *désordre* existant. Ce n'est pas la pauvreté du réel que condamne l'imagination au pouvoir, c'est sa

1. *Ibid.*, p. 115.

surabondance, son extériorité, son caractère inappropriable ; ce n'est pas la soumission du désir à la norme qui lui est odieuse, c'est l'insoumission de l'être aux normes du désir ; ce n'est pas le prosaïsme, c'est la poésie comme attention et action de grâces. Le rêve prétend nous sortir de la *prison* du donné, alors même que c'est du donné comme *présent* qu'il nous détourne.

On disait naguère de l'utopie qu'elle était dépaysement, écart, visée d'altérité radicale, et, du rêve, on affirmait qu'il embellissait l'existence. Toute la question est maintenant de savoir si de l'altérité survivra à l'utopie triomphante et s'il y aura encore place, dans l'empire du rêve, pour l'arabette qui fleurit parce qu'elle fleurit.

Paysan !

Dans le livre cinglant qu'il vient de faire paraître[1], Régis Debray dépeint l'intellectuel qui veut être, cent ans après, le continuateur du dreyfusisme, sous les risibles traits d'un paresseux affairé, d'un redresseur de torts tout à la fois fébrile et négligent, d'un donneur de leçons irresponsable, bref d'un *désintellectualiseur* œuvrant, en guise de méthode, à vider le monde de sa complexité pour n'y voir que matière à indignation, pétitions, scandale et poses avantageuses.

La charge est féroce. Mais il est d'autant plus malaisé d'en contester la pertinence que, nonobstant sa promesse déjà ancienne de rompre avec les propos excessifs et les engagements virevoltants, Régis Debray a fourni lui-même, il y a peu, l'illustration spectaculaire de l'attitude qu'il dénonce. Mettant fin à dix années de surdité militante à l'égard de la guerre dans l'ex-Yougoslavie, Debray s'est rendu en Serbie et au Kosovo, en mai 1999, c'est-à-dire pendant la campagne de bombardements de l'OTAN. Dans l'article publié à son retour, il parlait notamment des « quelque 400 000 Serbes que

1. *I. F. suite et fin,* Gallimard, 2000.

les Croates ont déportés de Krajina sans micro ni caméra[1] ». Cette phrase est d'un homme pressé et désinvolte. En mai 1995, la population serbe de Krajina — 150 000 personnes — a été évacuée, dans sa très grande majorité, par ses propres dirigeants avant l'arrivée des troupes croates. Il y a eu ensuite des exactions inexcusables (dûment enregistrées par micros et caméras), mais qui ne doivent pas faire oublier que la Krajina avait été, en 1991, occupée et vidée par l'armée « yougoslave » de tous ses habitants non serbes.

Régis Debray a donc raison, et d'abord contre lui-même. L'écart doit être comblé entre l'attitude de l'intellectuel et l'intelligence des choses. Nous devons réfléchir, ralentir, *mettre pied à terre* et retrouver avec la réalité le contact perdu à force de grandes envolées ou de démagogie morale.

Là où le bât blesse, cependant, c'est quand une fois de plus Régis Debray oppose au directeur de conscience assis sur son nuage le matérialisme de la culture technique et la rigueur de l'ingénieur. Non que celle-ci soit contestable. Elle est admirable, au contraire, et nous bénéficions, à chaque pas, de ses prouesses. Mais il suffit de penser à l'affaire de la vache folle ou aux inondations qui viennent de ravager la Bretagne pour comprendre que ce dont la terre et le monde ont à pâtir, c'est, avant toute chose, du calcul généralisé et de la technicisation de la culture. Les haies et les talus

---

1. « Lettre d'un voyageur au président de la République », *Cahiers de médiologie*, n° 8, Gallimard, 1999, p. 195.

ralentissaient autrefois l'écoulement des eaux. Et s'ils ont disparu, si le « saccage du bocage[1] » a eu lieu, c'est le fait de la raison et non du caprice, du progrès et non de l'obscurantisme. On a remembré par souci d'efficacité. On a saccagé pour améliorer la rentabilité. De même a-t-on dopé les ruminants avec des farines carnées afin de rendre plus productives ces usines à lait ou à viande. Il n'y a plus d'animaux dans l'agriculture ni de nature, plus rien qui soit antérieur à l'opération technique et qui en limite la puissance. Ce n'est plus seulement notre civilisation qui tend à prendre « la structure et les qualités d'une machine », comme l'écrivait Valéry dès 1925, c'est la réalité tout entière. Car « la machine ne souffre pas que son empire ne soit pas universel et que des êtres subsistent étrangers à son acte, extérieurs à son fonctionnement[2] ». C'est ainsi que la campagne s'aligne sur la ville et l'agriculture sur l'industrie : émancipé du visage que les choses offrent à partir d'elles-mêmes, délesté des donnée immédiates de l'expérience, libéré du passé où il y avait encore un sol, des bêtes et des plantes, l'*exploitant agricole* fonde son action sur « la connaissance d'un enchaînement réglé de phénomènes relatifs à des normes quantifiées[3] ». Et ce triomphe de la machine est aussi celui de l'abstraction. Il y a longtemps que l'image du *cambouis*, suremployée par Régis Debray pour faire honte aux

---

1. L'expression est de Jean-Loup Trassard.
2. P. Valéry, *Sur la crise de l'intelligence* in *Vues*, La Table Ronde, 1993, p. 127.
3. D. Bourg, *L'Homme-artifice*, Gallimard, 1996, p. 301.

intellectuels de leurs mains blanches, ne s'applique plus à la technique. Caduque est aujourd'hui l'opposition entre le spiritualisme éthéré des clercs et la présence aux choses de l'*Homo faber.*

L'arrogance et l'immatérialisme ne sont pas moins à l'œuvre dans la rigoureuse mise en équations du monde réel que dans les colères aériennes des permanents de la protestation. Au lieu d'expier — en s'humiliant devant les experts — leurs errements passés ou leur cabotinage actuel, les intellectuels devraient méditer la grande leçon de Rimbaud : « Moi ! moi qui me suis dit mage ou ange, dispensé de toute morale, je suis rendu au sol avec un devoir à chercher et la réalité rugueuse à étreindre. Paysan ! »

L'expulsion de la bête

Le 2 avril 1998, Maurice Papon, ancien haut fonc-
tionnaire vichyste devenu ministre du général de
Gaulle, a été reconnu coupable de « complicité de
crimes contre l'humanité ». Cette sentence est sa puni-
tion. Il est, jusqu'à la fin des temps, frappé d'une indi-
gnité sans pareille. À quoi bon en rajouter ? Pourquoi
vouloir, de surcroît, le maintenir en prison, à quatre-
vingt-onze ans ? Parce qu'il y avait des vieillards dans
les quatre convois de Juifs déportés de Bordeaux vers
Drancy entre 1942 et 1944 et que celui qui était alors
secrétaire général de la préfecture de Gironde n'a pas
eu la moindre pitié pour eux ? Mais le droit qui est une
ascèse, non un assouvissement, est né du refus de ces
symétries instinctives. Parce que Papon symbolise la
faillite de l'État français ? Mais ce n'est pas son rôle
sous Pétain, c'est son âge et, après la mort de Bousquet, son statut de *dernier vivant* qui ont érigé Papon
en symbole.

S'agit-il pour nos générations de se montrer plus
lucides, plus déterminées, meilleures et moins arran-
geantes avec le mal que leurs piètres devancières ? Mais
nous ne sommes pas meilleurs, nous sommes peinards

— il ne nous est donné ni de résister à l'envahisseur ni de reconstruire notre pays. Et nous ne pouvons rien contre le fait de la naissance tardive : malgré tous nos efforts pour en ressusciter la menace, le nazisme est mort il y a cinquante ans.

Voilà cependant qui heurte de front la sensibilité contemporaine. Pour n'avoir pas voulu que Papon *paye sa longévité* plus cher que ses actes et pour avoir osé déclarer : « On parle de crime contre l'humanité, je dirais qu'il y a un moment où l'humanité doit prévaloir sur le crime », Robert Badinter vient de s'attirer les foudres d'Arno Klarsfeld. Invité vedette d'une émission chic de la télévision française — *On ne peut pas plaire à tout le monde* —, le jeune avocat de la FFDJF (Fédération des fils et filles des déportés juifs de France) a dit, le sourire aux lèvres, que l'ancien garde des Sceaux briguait l'Académie française et se ménageait, en volant au secours du vieux notable incarcéré, les voix précieuses de Maurice Druon, de Jean d'Ormesson, de Jean Dutourd... Cette insinuation est d'autant plus monstrueuse que l'Histoire n'a jamais fait irruption dans la vie du fils de Serge Klarsfeld alors que Robert Badinter a vu son père partir pour les camps. Que reste-t-il, dans une telle attaque, du plaidoyer pour les victimes et de la fidélité aux rescapés ? Rien, et pourtant les animateurs de l'émission restèrent sans réaction. La case « morale » de leur esprit n'était occupée que par la question de savoir si le monstre devait être remis en liberté ou purger l'intégralité de sa peine. Ils concédèrent bien, un peu plus tard, qu'Arno Klarsfeld pouvait être *agaçant*. Mais, dans leur bouche, ce n'était pas une réticence, c'était un compliment ; ce n'était, en aucune façon, la reconnaissance de sa totale absence de scrupules, c'était l'éloge de son effronterie, de son aplomb, du courage qu'il lui fallait pour ne pas plaire à tout le monde. Et notamment aux antisémites et à ceux qui leur trouvent des circonstances atténuantes. Car le temps est révolu où on n'aimait pas les Juifs. On a changé d'avis. On fustige l'Inquisition. On condamne les pogroms. On réprouve les ghettos. On est résolument dreyfusard. On est tous des Juifs allemands. On déteste les nazis. On méprise les collabos. On combat sans mollir l'antisémitisme, le racisme, l'exclusion. Et ce « on » qui croit déplaire à tout le monde, alors qu'il est tout le monde, se charge, en chacun, de désigner les hommes infâmes ou de trier, dans ce qui arrive, le bon grain de l'ivraie. D'un code à l'autre, d'un système de valeurs au suivant, le mal peut changer de figure, c'est toujours l'opinion qui en dresse le portrait-robot. Quand la France croit le reconnaître, elle se fâche, elle roule les mécaniques, et, tels ces hôteliers bordelais refusant catégoriquement, dans les premiers jours du procès, de loger ou de servir Papon, elle collabore passionnément à l'expulsion de la bête.

Pour les oubliés de l'opinion, en revanche, aucune inquiétude. Pour les bassesses ou les indignités non répertoriées par le conformisme en vigueur, pas de souci à se faire : elles ont quartier libre.

Nous sommes tous
des Suisses allemands

C'est l'injonction à se souvenir et la dette à l'égard des suppliciés qu'on invoque pour justifier le maintien en détention de Maurice Papon. « L'impossible oubli », titre *L'Humanité* (oubliant ses propres occultations et notamment l'implicite marché proposé, au sortir de la guerre, par la mémoire communiste triomphante aux déportés juifs : « Ils taisent la spécificité de leur destin de "raciaux" ; en échange, ils deviennent des patriotes et des résistants voués à l'anéantissement en tant qu'antifascistes »[1]).

Et puis, tous les hérauts — communistes ou non — de l'oubli impossible se rappellent-ils seulement le procès de celui qu'ils veulent, pour honorer les victimes, voir mourir en prison ? Connaissent-ils la décision rendue, après dix-huit heures de délibéré, par les trois magistrats et les neuf jurés de la cour d'assises de Bordeaux ? Maurice Papon a été reconnu « complice des arrestations illégales de trente-sept personnes à l'occasion des convois de juillet 1942, août 1942 et janvier 1944 », ainsi que de la « séquestration de Léon Librach ». Mais il a été acquitté pour toutes les

---

1. A. Wieviorka, *Déportation et génocide*, Plon, p. 435.

charges de complicité d'assassinat et de tentatives de complicités d'assassinat. Cela ne fait certes pas de lui un innocent ni un homme honorable. Mais que disent ceux qui croient pouvoir parler au nom des disparus ? Que Papon ne mérite aucune compassion, lui qui a envoyé froidement des Juifs à la mort. Pour justifier leur refus de se laisser attendrir, ils s'appuient sur l'intention homicide, c'est-à-dire sur le chef d'inculpation qui n'a pas été retenu contre lui.

C'est donc en pure perte que le tribunal s'est astreint à juger un individu et non un système. Papon, pour l'opinion, incarne le système : Papon, c'est Pétain, c'est Laval, c'est Bousquet, c'est Legeay, c'est Vichy, c'est la Milice, c'est la Gestapo, c'est la solution finale. Un aussi lourd coupable ne saurait rendre l'âme en homme libre. Ainsi la vertu détrône-t-elle la vérité : au bout de cette longue chaîne d'identifications, on n'a pas simplement perdu de vue le condamné que l'on accable, on ne comprend plus rien, ni à l'Occupation, ni à la Collaboration, ni à l'Extermination, ni à notre situation, ni au phénomène humain en général. Fin des complexités et des demi-teintes. Fin de l'ambiguïté. Fin de l'inextricable. Gel de l'élucidation. Déchéance en automatisme de la faculté de juger. Le conditionnement prend la relève du discernement. La zone grise s'estompe comme un mauvais rêve. Tout est redevenu radieusement simple. Le mal est retourné à sa noirceur d'origine. L'humanité se divise en deux camps : la bête et les bons, les Papon et les chevaliers blancs des droits de l'homme.

Primo Levi aimait à citer le « Dit du vieux marin » de Coleridge :

> *Since then, at an uncertain hour that agony returns*
> *And till my ghostly tale is told*
> *This heart within me burns*

« Depuis lors, à une heure incertaine, cette agonie revient Et jusqu'à ce que mon effrayante histoire soit racontée Ce cœur en moi brûle. »

Car, comme le vieux marin qui arrête les passants en chemin vers la noce pour les obliger à écouter son récit, Primo Levi a voulu, dès sa libération, témoigner et se faire entendre : « Quand je suis rentré du *Lager*, dit-il, j'étais doté d'une ardeur narrative pathologique. » Mais, au début, l'attrait pour la noce fut plus fort que *Si c'est un homme* : le monde fêtait la *victoire* dans l'euphorie du baby-boom.

Puis, peu à peu, on tendit l'oreille, les affairés s'arrêtèrent. Mais une autre épreuve douloureusement imprévue attendait Primo Levi, celle-là même qu'il relate dans *Les Naufragés et les Rescapés*, son dernier livre. Il fut, si l'on peut dire, deux fois remercié par ses auditeurs : dédaignant la noce, les invités se laissèrent captiver par le vieux marin et ils lui surent tellement gré de son histoire qu'ils l'en congédièrent ! Au lieu de seulement s'y intéresser, ils se l'approprièrent sans autre forme de procès. Au lieu d'en recueillir pieusement l'insoutenable horreur, ils la réduisirent à un duel édifiant, et surtout ils en firent *leur* affaire. Au lieu d'écouter pour comprendre, ils commencèrent à « se la raconter » et à rêver d'une enfance à Maïdanek ou dans le ghetto, comme Bruno Grosjean, le professeur de musique zurichois fuyant son être-suisse dans l'être-juif de Benjamin Wilkomirski[1].

Il y avait la mémoire, il y avait l'oubli. Mais quel nom donner à cette *confiscation fervente* ?

---

1. Voir E. Lappin, *L'Homme qui avait deux têtes*, Éditions de l'Olivier, 1999.

Lorsque l'homme entre
dans un poème...

Dans le doute désormais, l'abstention n'est plus de mise. L'incertitude a cessé de justifier l'inaction. Il est interdit de rester les bras ballants : principe de précaution oblige, on s'engage à faire (ou à défaire) avant de savoir ; au lieu de « tenir pour faux tout ce qui n'est que vraisemblable », comme nous l'avait enseigné Descartes, on adopte des mesures touchant une source potentielle de dommages sans attendre que le danger soit scientifiquement établi de manière définitive. Lorsqu'une vache est atteinte de l'ESB (encéphalopathie spongiforme bovine), on abat, séance tenante, le troupeau tout entier. Et ce n'est pas seulement pour des raisons économiques (rétablir l'équilibre de l'offre et de la demande), sociales (éviter les licenciements dans les abattoirs) mais au nom d'impératifs sanitaires (minorer les risques de contamination) que le Conseil agricole européen vient de demander aux états membres de l'Union d'acheter en vue de destruction tout animal de plus de trente mois qui lui est présenté. Deux millions de *vaches inutiles* doivent être ainsi tuées, broyées, moulues et incinérées en cette première année du nouveau millénaire.

Prudence tardive ? Insuffisante ? Excessive ? Démagogique ? Trop coûteuse ? Prudence dénuée de prévenance, en tout cas. *Ce n'est pas avec les vaches qu'il a été décidé de prendre des précautions.* Le principe de raison les avait expulsées du monde de la vie. Le principe de précaution leur donne le coup de grâce en leur fermant la porte du scrupule et de la sollicitude. C'est parce qu'elles ne relevaient plus de la sphère du donné mais de celle du calculable qu'on a rendu les vaches carnivores (et que l'épizootie a pu se développer). L'angoisse qui nous étreint maintenant devant les retombées humaines de ce décret souverain aggrave *leur* cas. Nous nous dépêtrons de notre dernière prouesse artificialisante sans égard, sans ménagement, sans vergogne, sans prêter la moindre attention à ses premières victimes. Pas une larme pour les vaches ! Pas un sanglot, pas le moindre élan de pitié pour ces placides animaux rendus fous par nos soins et qui ont, en outre, l'impudence de nous transmettre leur mal !

Il n'y a donc, malgré les apparences, aucune discontinuité entre le projet démiurgique d'inventer l'être et l'attitude de précaution. Les chiffres de la grande tuerie l'attestent : nous restons en proie à l'*hubris* alors même que nous combattons ses effets. Nous traitons l'anthropocentrisme par l'anthropocentrisme : c'est en seigneurs de la Création que nous remédions aux ravages occasionnés par notre sentiment d'omnipotence. La contagion et la médication, le préjudice et la réparation procèdent de la même métaphysique et du droit que celle-ci nous accorde de tout faire de tout.

« Lorsque l'homme entre dans un poème, écrivait Maeterlinck, l'immense poème de sa présence éteint tout autour de lui. » *A fortiori*, ajouterai-je, quand il s'agit d'un poème tragique. Jaloux depuis qu'il est humaniste de ses propriétés et de ses prérogatives, l'homme ne consent plus à partager la tragédie avec aucune autre créature. Ainsi le principe de précaution porte-t-il bien mal son nom. Il n'est pas une déclinaison du principe de délicatesse, mais la version craintive, l'avatar exterminateur d'une volonté que rien n'arrête, que nulle extériorité ne subjugue, qui accapare, mobilise, instrumentalise toutes choses et qui, après avoir remplacé les vaches par la filière bovine, s'est affranchie de l'élevage traditionnel dans les ateliers hors-sol de la zootechnie.

L'être qui pompe l'air

« L'homme est partout, partout ses cris, sa douleur et ses menaces. Entre tant de créatures assemblées, il n'y a plus de place pour les grillons. »

Albert Camus

Les dix décommandements

Nos temps démocratiques ne conçoivent pas d'autre valeur que l'égalité et la liberté : la révolution des droits de l'homme étend désormais ses bienfaits à tous les secteurs de l'existence.

Alors que la lecture était autrefois une activité *courtoise* et relevait, comme le rappelle George Steiner, de la délicatesse ou de l'élégance de cœur, on affiche désormais dans les librairies de proximité et dans les bibliothèques de lycée (rebaptisées CDI) la liste des droits *imprescriptibles* du lecteur : le droit de ne pas lire, le droit de sauter des pages, le droit de ne pas finir un livre, le droit de lire n'importe quoi, le droit au bovarysme, le droit de lire n'importe où, le droit de lire à voix haute, le droit de nous taire, et l'on attend de ces dix autorisations qu'elles restaurent un goût des livres perdu à force de protocoles scolaires et d'attention contrainte.

En noyant les œuvres dans le flot ou la déferlante numérique, Internet couronne le nouveau décalogue par un droit de manipulation illimitée. Le machinisme conspire ainsi avec l'individualisme à démoder les scrupules du tact ; en rendant le monde fluide comme *Le*

Grand Bleu, la technique permet démocratiquement à chacun de troquer le fardeau du devoir contre l'exercice discrétionnaire du pouvoir.

Les mêmes cependant qui s'enchantent du triomphe des droits de l'homme se désolent devant le spectacle de l'incivilité triomphante. Or, les deux phénomènes sont liés. Si, dans l'homme, l'homme des droits de l'homme occupe seul le terrain, c'en est fini des bonnes manières. Celles-ci dérogent imperceptiblement, mais obstinément, au discours de l'égale dignité. Elles adoucissent et compensent la politique tonitruante de l'expression par la politesse de l'effacement. Être poli, en effet, ce n'est pas faire valoir ses titres ou ses créances, c'est se reconnaître obligé. Ce n'est pas s'affirmer, c'est s'amoindrir. Ce n'est pas se poser, c'est s'incliner. Ce n'est pas se vouloir souverain, mais serviteur et céder son empire, « se dépouiller de la royauté imaginaire du monde[1] », ne fût-ce que le temps d'une lecture ou la seconde d'un franchissement de porte.

Il y a autre chose qu'une comédie sociale dans cet acharnement à maintenir les signes de la sujétion au sein même d'un univers régi par le principe d'autonomie. Il y a l'écho ténu, la trace fugace, la mémoire en acte de cette émotion ou cette mauvaise conscience originelle définie par Levinas comme « la crainte pour tout ce que mon exister — malgré son innocence intentionnelle et consciente — peut accomplir

---

1. S. Weil, *La Pesanteur et la Grâce,* Agora, Plon, 1991, p. 20.

de violence et de meurtre[1] ». Le paradoxe du nouvel ordre hédoniste et spontanéiste consiste à dénoncer les incivilités tout en disqualifiant les dernières
manifestations de cette crainte au nom des droits de
l'homme.

---

1. E. Levinas, *Éthique comme philosophie première*, Rivages, 1998, p. 94.

Le remplisseur d'abîme

Comme le dit très bien Zeev Sternhell, il y a deux camps en Israël : ceux pour qui la guerre d'Indépendance s'est achevée en 1948, ceux qui pensent qu'elle s'est terminée vingt ans plus tard, en 1967, à l'issue de la guerre des Six-Jours, avec la réunification de Jérusalem et l'annexion de la Judée-Samarie.

Les premiers acceptent l'échange des territoires contre la paix. Les seconds promettent le beurre et l'argent du beurre, la paix et le maintien de la souveraineté israélienne sur les territoires conquis.

Après de longues années de confrontation, les premiers ont gagné la bataille idéologique, et c'est le candidat des seconds qui vient de remporter les élections avec vingt points d'avance sur son concurrent. Ariel Sharon, autrement dit, n'est pas l'élu du Grand Israël (même si les habitants des implantations lui ont tous apporté leurs suffrages et se réjouissent bruyamment de son succès). Il doit son investiture triomphale à la stupeur, au désarroi, à la confiance trahie. Dans un autre contexte, Sharon aurait pu être le briseur de paix qu'annoncent déjà les médias, mais il est, en l'occurrence, le bénéficiaire de la paix brisée. En répondant par une opiniâtre fin de non-recevoir aux efforts pathétiques d'Ehoud Barak pour arracher un accord avant la date du scrutin et en prétendant qu'il n'y a jamais eu de temple juif à Jérusalem, les Palestiniens se sont prononcés contre la logique du partage et ils ont fait savoir qu'ils voulaient tout de suite un État à eux sans renoncer à l'ambition de mettre à terme les Juifs en minorité dans un pays où leur présence n'avait *aucun fondement historique*. La désertion du partenaire ouvrait soudain un abîme.

C'est bien à tort qu'on a parlé de *processus* de paix. La paix n'était pas un processus mais un *pari*. Pari perdu : nous entrons maintenant dans l'ère de l'Inexorable. Le vote est le moyen que les hommes se sont donné pour choisir leur destin. Mais hier, en Israël, tout s'est passé comme si la force du pire avait dicté le choix des citoyens israéliens. Une machine infernale s'est mise en marche. Ils ont été pris dans l'engrenage, ils ont obéi à la fatalité.

Et la pensée progressiste va bientôt fournir sa contribution à ce *processus* tragique en dénonçant dans le sacre désespéré du remplisseur d'abîme l'arrogance criminelle d'un peuple décidément redoutable, puisqu'il déduit du mal absolu subi par les siens un droit éternel et illimité à répandre le mal.

Le petit caillou dans la chaussure

Depuis plus de quinze ans, je suis un « collaborateur juif » de France Culture. Je n'affiche pas cette judéité, mais je ne la dissimule pas non plus et il m'arrive de traiter, dans mon émission *Répliques*, du Moyen-Orient, de la question de l'antisémitisme, ou de la pensée d'Emmanuel Levinas. Certes, *nos* classiques sont aussi mon souci, j'ai consacré des émissions à Bossuet, à La Fontaine, à Péguy, à Michelet, à Claudel, à l'alexandrin même, mais, enfant de parents polonais, et naturalisé avec eux en 1950, je ne participe pas directement de l'expérience française « telle qu'elle fut vécue pendant une quinzaine de siècles par le peuple français sur le sol de France » et que Renaud Camus défend avec un amour passionné dans son journal de l'année 1994 : *La Campagne de France*, justement. Moi, fils de déporté, citoyen de la deuxième génération et citadin de toujours, je ne pouvais que me sentir visé par l'exclusivisme de cette déclaration d'amour, par la porte qu'elle semblait me claquer au nez en me cantonnant à un point de vue, certes, légitime mais *extérieur*.

Et pourtant, quand le scandale a éclaté, je ne me suis pas retrouvé dans mon camp naturel. À la stupeur de

mes amis, je n'ai pas pris le bon parti. Au lieu de me
constituer partie civile dans l'action médiatique inten-
tée contre Renaud Camus, j'ai dénoncé les juges.
D'offensé, je suis devenu défenseur. Pourquoi ? Parce
que la critique a pris la forme du procès et que ce
procès s'est achevé *avant même d'avoir eu lieu*. La sentence est tombée tout de suite. Le tribunal a rendu son
arrêt de mort symbolique sans jamais tenir séance. Inutile, en effet, d'entendre les explications de l'accusé ou
de se plonger dans ses livres. On savait à qui on avait
affaire. La cause était entendue, le crime avéré, les
extraits publiés dans la presse parlaient d'eux-mêmes.
Porte-parole de la France des volets clos, banal héritier
d'une tradition antisémite qui avait cristallisé au
moment de l'affaire Dreyfus et prospéré entre 1940
et 1944 à l'ombre de la défaite, Renaud Camus y
dévoilait, une fois pour toutes, son vrai visage vichyste.

Cette fébrilité dans la condamnation marque la distance infinie qui sépare les dreyfusards originels de
leurs vigilants continuateurs. Ces premiers, en effet,
n'allaient pas vite : c'est même le principal mérite qu'ils
s'attribuaient. À Brunetière qui se moquait des écrivains ou des professeurs haussés par leur nouveau nom
d'*intellectuels* au rang de surhommes, alors même qu'ils
« déraisonnaient sur les choses de leur incompétence »,
Durkheim répondait calmement : « Si donc, dans ces
temps derniers, un certain nombre d'artistes, mais surtout de savants, ont cru devoir refuser leur assentiment
à un jugement dont la légalité leur paraissait suspecte,

ce n'est pas que, en leur qualité de chimistes ou de phi-
lologues, de philosophes ou d'historiens, ils s'attribuent
je ne sais quels privilèges spéciaux et comme un droit
de contrôle sur la chose jugée. Mais c'est que, étant
hommes, ils entendent exercer tout leur droit d'homme
et retenir par-devers eux une affaire qui relève de la
seule raison. Il est vrai qu'ils se sont montrés plus
jaloux de ce droit que le reste de la société ; mais c'est
simplement que, par suite de leurs habitudes profes-
sionnelles, il leur tient plus à cœur. Accoutumés par la
pratique de la méthode scientifique à réserver leur
jugement tant qu'ils ne se sentent pas éclairés, il est
naturel qu'ils cèdent moins facilement aux entraîne-
ments de la foule et au prestige de l'autorité[1]. »

Eussent-ils appliqué les mêmes principes de patience
méticuleuse en prenant, par exemple, le temps de lire
l'œuvre d'un auteur dont ils ne connaissaient, pour la
plupart, que l'infamie soudain attachée à son nom, les
valeureux contempteurs de la France rancie auraient
vu, avec une perplexité croissante, leur proie échapper
au concept prévu pour elle.

Dressant dans *P.A.* la liste anarchique de ses goûts et
dégoûts sur le modèle du *J'aime/Je n'aime pas* de
Roland Barthes, celui dont on a fait, l'été dernier, le
repoussoir de la France ouverte qui mettait Zinedine
Zidane au premier rang du «Top 50 », dit sa gratitude
à Racine, à Paul-Jean Toulet, à Valery Larbaud, à Saint-

---

1. Cité dans Jean-Denis Bredin, *L'Affaire*, Fayard/Julliard, 1993, p. 380.

John Perse, à Turner, à Rothko, à Virginia Woolf, à Cingria, à Leopardi, à Janáček, à Chopin, à Hugo Wolf, à Cavafy, à Celan, à Hölderlin, à Edmond Jabès, et à Proust plus qu'à tout autre. « Français par l'appel du 18 juin », ce maréchaliste confesse dans *Etc.* son « immense admiration pour l'attitude britannique pendant la Seconde Guerre mondiale » et sa « grande humiliation de l'attitude française (la défaite, la collaboration, les dénonciations) »[1]. Tout comme ses juges, il croit même « cette humiliation générale, nationale et fondamentale pour comprendre la France et les Français contemporains[2] ». Lisons enfin la méditation sur l'art et le désastre développée *dans le discours de Flaran* par cet esthète frileux, casanier et maurrassien : « Si la poésie est inadmissible ou peut paraître telle, après les camps de la mort, c'est que toute parole est passée par la bouche des bourreaux. C'est que toute idée de la beauté classique, ou toute idée classique de la beauté, fut aussi leur idée, et aussi leur beauté. C'est qu'ils ont interprété mieux que quiconque non seulement Wagner ou Richard Strauss, mais Mozart ou Schubert. C'est qu'ils ont porté aux nues non seulement Nietzsche ou Carl Schmitt mais Rilke, et Goethe lui-même, et jusqu'à Hölderlin. C'est que notre humanité — voici l'*inhabitable* pour la pensée, et qui la rend impensable — est la même que la leur [...]. C'est que le sens a construit les camps, aligné vers eux les voies

---

1. R. Camus, *Etc.*, POL, 1998, p. 90.
2. *Ibid.*

ferrées, trouvé la formule meurtrière des gaz, justifié l'injustifiable, et pendant ce temps composé des poèmes, écrit des opéras, organisé des expositions d'art. C'est que tout sens est compromis, toute image est souillée, que toute beauté est salie, tout être a honte de se montrer[1]. » Dans un tel climat de pensée, les réflexions de Renaud Camus sur les degrés de l'appartenance nationale, son refus de méconnaître la part de l'héritage dans l'identité, son attachement crispé au peu qui reste de « connaissance par le temps » prennent un autre sens que celui — essentialiste, raciste, criminel — qu'on a voulu précipitamment y voir.

L'appel à la nuance, je le sais, peut être une manière de brouiller les cartes ou de noyer le poisson. Comme le dit fortement Jankélévitch : « La rigueur morale s'inscrit en faux contre les approximations du confusionnisme esthétisant et contre les brumes propices de la mauvaise foi et du grand pêle-mêle. Plutôt le manichéisme que le machiavélisme[2]. » Et, ajouterai-je, face au retour toujours possible des vieux démons séparateurs, plutôt les gros sabots de la colère que les finasseries absolutoires.

Mais face à Renaud Camus s'est joué un tout autre drame. On a vu les uns « joindre aux avantages du monde les bénéfices de la persécution » selon le mot cruel de Karl Kraus, et les autres s'applaudir de rache-

1. R. Camus, *Discours de Flaran*, POL, 1997, p. 18-19.
2. V. Jankélévitch, B. Berlowitz, *Quelque part dans l'inachevé*, Gallimard, 1978, p. 93.

ter par leur rapidité de réaction la couardise ou la forfaiture de leurs pères. Plutôt le terrain connu du manichéisme que la confrontation, sans garde-fou, à une œuvre singulière. Plutôt le jugement bâclé que l'exercice périlleux du jugement. Plutôt la jubilation de la deuxième chance que l'incertitude de l'événement. Plutôt l'ennemi répertorié qu'un écrivain déconcertant. Adieu Durkheim. Fin du scrupule. *Aucun petit caillou dans la chaussure n'entrave la marche vengeresse des idées reçues.* On combat désormais les réflexes xénophobes par le réflexe conditionné. La *Némésis* alliée à la nonchalance balaye le questionnement méticuleux. La frivolité ne badine pas avec le crime. Et quand, après avoir essayé de se battre contre un adversaire — la presse — qui dispose seul du choix des armes, du terrain et du moment, Renaud Camus confie : « De l'ignominie dont on m'abreuve, je ne me relèverai jamais. Je suis un écrivain enterré. Pour l'instant, c'est l'envie de dormir qui l'emporte en moi. Je ferme sur moi le sommeil, comme on laisserait tomber la dalle du tombeau [1] », on trouve encore le moyen de stigmatiser son égocentrisme et de dire qu'il prend la pose de l'offensé.

Cette France pénitente et journalistique n'est pas moins inquiétante que la France clouée au pilori en la personne de Renaud Camus. Les fils n'ont pas réparé la bassesse des pères, ils l'ont perpétrée dans leur façon

---

1. R. Camus, *Corbeaux*, Journal 9 avril-9 juillet 2000, Les Impressions Nouvelles, 2000, p. 53.

féroce et grégaire, arrogante et paresseuse d'en prendre le contre-pied. Et maintenant que la campagne contre *Campagne de France* a porté ses fruits, on refuse à son auteur déshonoré la publicité du déshonneur. L'abattre ne suffit pas, il faut encore l'anéantir. Ouvrez la chronologie de l'an 2000 que vient de publier le journal *Le Monde*[1] : vous n'y trouverez pas trace de Renaud Camus. Frappé d'opprobre et retranché de la communauté des hommes au nom du devoir de mémoire, le voici, par la même juridiction, rendu à l'oubli et comme frappé d'inexistence. C'est contre un tel usage de la mémoire et de l'oubli que j'écris ces lignes.

---

1. M. Roche, *L'Année 2000 dans « Le Monde »*, les principaux événements en France et à l'étranger, Gallimard, « Folio/Actuel », 2001.

La diffamation de la nostalgie

Soyons juste. Le lynchage de Renaud Camus n'est pas seulement le fait de ses non-lecteurs en colère. Outre la foule déchaînée des vigilants négligents, il a aussi contre lui quelques exégètes ulcérés par sa déploration continuelle. Gibelin parmi les guelfes, romantique quand il n'y en a que pour le juridique, il déplore dans tous ses livres l'avènement d'une humanité désaffiliée, désendettée, désoriginée et fière de l'être. Dans *Corbeaux*, le journal de l'affaire, il déplore le triomphe du journalisme et l'emprise des expressions, des idées, des sentiments tout faits sur la saisie journalistique des événements. Dans son *Répertoire des délicatesses du français contemporain* paru au même moment que *La Campagne de France*, il déplore la destitution du formalisme par le sociologisme, la sacralisation du fait linguistique accompli, les ravages du culte de l'authenticité, et l'oubli militant des niveaux de discours au bénéfice d'un idiome unique parlé par tous en tous lieux et qui marie sans cesse la scatologie avec l'infantilisme, la vulgarité avec la sentimentalité, le *dégoûtant* (« Putain, je le crois pas ! », « Ils s'emmerdent pas, les profs ! », « J'ai vu *Eyes Wide Shut*, c'était mégachiant, en fait ») et le *dégoulinant* (« Bisous-bisous ! », « c'est vrai qu'ils sont chouettes, les gamins de CM2 », « J'ai lu *Retour à Florence*, de James, c'était sympa ! », « La maman de Nathalie Sarraute, elle écrivait des contes », « Joyeuses fêtes, et plein de bonnes choses à tous ceux qui nous écoutent ! »).

Bref, Renaud Camus s'inscrit en faux contre l'idée, répandue par la pensée en place, d'un fossé grandissant entre les élites et le peuple. Constatant les irrésistibles progrès de *l'homogénéisation culturelle*, et voyant l'antique idée de loisir mourir dans les frasques lamentables de la jet-set, il porte sans honte le deuil de la classe cultivée. Autrement dit, il regarde derrière lui, il ne se remet pas de la disparition des choses, c'est un *vieux con* (comme il l'avoue d'ailleurs dans son abécédaire). Et, affirment ses censeurs, de ringard à raciste, la conséquence est bonne. Le purisme conduit à la purification, l'étiquette à l'exclusion, la critique du journalisme au renversement de la démocratie, la nostalgie du monde d'avant le village universel au chauvinisme hargneux, et la faiblesse pour ce qui tombe à la solution finale.

Passéiste, donc pétainiste : le scandale de l'affaire Renaud Camus ne tient pas aux écrits de l'accusé, mais à l'alternative dans laquelle l'accusation voudrait nous enfermer entre les vieux cons antisémites et l'éblouissante jeunesse du monde.

La croisade sentimentale

Les sociétés modernes sont à la fois versatiles et grégaires. *On* réagit comme tout le monde, et tout le monde change de système de valeurs en même temps. C'est une opinion commune, fantasque et *légère* qui *pèse* sur l'esprit des individus. Rien n'échappe plus à l'empire de l'éphémère. Le sérieux lui-même devient volage. L'éthique, cette chose si ancienne et si grave, tombe sous la coupe de la frivolité. La mode est sortie de la mode : *il y a mode de tout, même du mal.*

Dans les années soixante-dix du XXe siècle, il était interdit d'interdire et cette révolution des mœurs épatait à ce point le bourgeois que, prenant ses réflexes pour des préjugés, il accueillait d'un air entendu et d'un petit gloussement complice l'aspiration anti-autoritaire à laisser s'épanouir la sexualité des enfants. Le mal, alors, c'était la répression et, comme personne ne voulait occuper la place du peine-à-jouir, nulle voix n'osait s'élever contre les transgressives injonctions du nouvel ordre moral.

Il est aujourd'hui interdit d'approcher les enfants. *Noli me tangere.* Rompant avec la complaisance, la connivence et l'indifférence, nous voyons dans la pédophilie la plus sacrilège de toutes les agressions. Et Daniel Cohn-Bendit fait les frais de cette volte-face. Le voici, en effet, tenu de répondre d'un livre, vieux de vingt-cinq ans, où il écrivait ceci à propos de son expérience d'éducateur dans un jardin d'enfants autogéré à Francfort : « Il m'était arrivé plusieurs fois que certains gosses ouvrent ma braguette et commencent à me chatouiller. Je réagissais de manière différente selon les circonstances, mais leur désir me posait un problème. Je leur demandais : "Pourquoi ne jouez-vous pas ensemble, pourquoi vous m'avez choisi, moi, et pas les autres gosses ?" Mais s'ils insistaient, je les caressais quand même. »

À l'époque de leur publication, ni ces phrases ni d'autres du même tonneau, comme « mon flirt permanent avec tous les gosses prenait vite des formes d'érotisme », n'ont fait l'objet de la moindre réserve. Sous peine d'archaïsme, l'air du temps ordonnait alors à ses ouailles de souscrire ou, au moins, de sourire à toutes les manifestations de la libido. Sous peine de complicité de crime contre l'humanité, il leur enjoint maintenant de fulminer et de punir. Ce climat est meilleur et on a mille fois raison de vouloir mettre le corps aussi bien que l'âme des enfants à l'abri du pathos révolutionnaire. On a sans doute raison aussi de tout faire pour briser la loi du silence qui, dans les familles, dans les paroisses ou à l'école, a trop longtemps protégé la pédophilie.

Mais faut-il en conclure, comme Ségolène Royal, la ministre française déléguée à la Famille, que « nous sommes désormais *au clair* sur ces questions » ?

C'est Dieu qui est au clair, c'est Dieu qui voit tout, pas nous. Nous, comme dit admirablement Kundera, nous avançons dans le brouillard. La finitude est notre lot. Nous cherchons, nous tâtonnons, actuellement comme autrefois, et rien n'est plus redoutable que l'oubli du brouillard qui nous enveloppe. Rien n'est plus néfaste que l'illusion de la clarté. Nulle ivresse n'est aussi aveuglante que la certitude absolue.

Le dogme du désir bon par nature et la criminalisation de l'idée de péché ont pu servir d'alibi aux abus sexuels. Mais les marches blanches risquent fort, elles aussi, d'engendrer leurs propres monstres. Le soupçon généralisé et l'alignement sur le sadisme meurtrier de toutes les formes de pédophilie succèdent déjà à l'intimidation par le désir. Dutroux est partout, Lewis Carroll nulle part et Freud non plus. Oublié le « pervers polymorphe », une menace multiforme pèse sur l'innocence. En chaque père, en chaque prof, en chaque prêtre sommeille un violeur d'anges. Dans un monde aussi inquiétant, il n'y a plus de secret de la confession qui tienne : comme dans *La Lettre écarlate*, tout le monde doit aujourd'hui fixer sur le coupable le regard de l'épouvante et si, demain, des vies sont détruites par la calomnie, le malentendu ou l'indifférenciation, le public se réveillera peut-être de sa fureur justicière. Les mêmes qui veulent maintenant faire payer Cohn-Bendit demanderont alors des comptes à l'esprit du soupçon. Le mal changera, une fois encore, de visage.

Mais le tribunal de l'Homme-Dieu continuera de siéger, imperturbablement.

Il y a une raison supplémentaire d'être modeste et de ne pas mettre Cohn-Bendit à la question. Le pédagogue du *Grand Bazar* inscrivait son action dans le grand récit de l'émancipation humaine : après les prolétaires, après les peuples colonisés, après le deuxième sexe, c'était au tour des enfants de se voir reconnues leurs capacités propres, leur autonomie, leur initiative. « Comment peut-on donner le bonheur ? » demandait A. S. Neill, le fondateur vénéré de Summerhill. Et il répondait : « Permettez à l'enfant d'être lui-même. Ne le sermonnez pas. Ne cherchez pas à l'élever. Ne le forcez pas à faire quoi que ce soit […]. La malédiction qui pèse sur l'humanité, c'est la contrainte extérieure, qu'elle vienne du pape, de l'État ou du professeur. C'est du fascisme[1]. » Dans son jardin d'enfants de Francfort, Daniel Cohn-Bendit luttait contre la même malédiction.

Et nous, aujourd'hui, que faisons-nous ? À l'instar des apôtres de l'école heureuse, nous traitons l'enfance comme une minorité opprimée qui a besoin de se libérer et nous proclamons notre volonté de mettre l'enseignement au service de la liberté créatrice des élèves. Ce n'est pas un vieux baba, mais l'impeccable président de la Fédération française des conseils de parents d'élèves qui demande que la participation des

---

1. Cité dans J.-P. Le Goff, *Mai 68, l'héritage impossible*, La Découverte, 1998, p. 374 et 372.

représentants lycéens élus soit reconnue d'égale dignité et d'égale responsabilité avec celle des adultes. Ce ne sont pas des contestataires marginaux mais des réformateurs officiels qui proclament, avec A. S. Neill, que « le commandement auquel tout parent et toute profession doivent obéir, c'est : Tu seras du côté de l'enfant[1] ».

« Aux jeunes de former la jeunesse », lisait-on, il y a quelques années, sur un prospectus ministériel incitant les étudiants à s'inscrire aux concours de recrutement de l'Éducation nationale. « L'avenir des uns est l'avenir des autres », proclamait un autre slogan au bas d'une affiche montrant un jeune adulte avec un enfant sur son dos et qui lui tenait la main. Éloquente image : plus de table, plus de livres, plus de médiation, l'amour ; plus d'institutionnel, du relationnel ; plus de formalités, des subjectivités. L'effusion supprime tout intervalle. Vestige des temps barbares où sévissait l'hétéronomie, l'ascendant des anciens maîtres cède la place à la sollicitude de l'adulte fraternel ou copain. Là où il y avait hiérarchie des rôles, il y a désormais proximité des personnes. Le professeur qui ouvrait un monde à ses élèves est congédié pour déficit démocratique et supplanté par le moniteur qui a noué des liens d'affection avec les gamins. Et pour bien montrer que le cœur est aux commandes, le toucher prend symboliquement la relève de la parole.

1. *Ibid.*, p. 376.

Mais l'école n'est pas seule en cause. À la télévision, sur une chaîne du service public, des grandes personnes hilares font le concours de la plus grosse bulle de chewing-gum, tandis que, dans un autre programme, quelques rappeurs impubères condamnent sentencieusement la guerre et le racisme. Les frontières s'effacent, les âges se confondent. L'enfant a tout de l'adulte, sauf le sexe : c'est un ange affublé des droits de l'homme. L'ange est en danger, dit-on. Aussi la *pédophilie sentimentale* s'emploie-t-elle à terrasser le dragon de la pédophilie. Notre responsabilité pour les nouveaux venus peut-elle se satisfaire d'une telle victoire ?

«Tout survivant des massacres hitlériens — fût-il juif — est Autre par rapport aux martyrs [1] », écrivait Levinas au lendemain de la Libération. Le temps a passé, mais plus cette altérité se déclare, plus les descendants des survivants s'acharnent à l'*oublier* ou à l'exorciser, et c'est par un usage incontinent de la mémoire qu'ils assouvissent ce désir. Il n'y a pas d'oubli que dans l'oubli, il y en a aussi logé au cœur de nos pratiques commémoratives.

Norman G. Finkelstein aurait donc raison et son entreprise serait salutaire s'il voulait empêcher les vivants d'arraisonner, sous prétexte de les honorer, leurs morts sans sépulture. Mais dans *L'Industrie de l'Holocauste* ce professeur ne traite aucun problème politique ni existentiel, il révèle une conspiration. L'élite juive, écrit-il en substance, a forgé de toutes pièces, à partir de 1967, le mythe de l'exceptionnalité de la *Shoah* pour servir les intérêts américains, pour donner toute licence à la politique oppressive de l'État d'Israël et pour racketter les banques suisses. Ce n'est nullement la découverte de la vulnérabilité israélienne qui, au moment de la guerre des Six-Jours, a changé la

1. E. Levinas, *Difficile Liberté*, Livre de Poche, 1990, p. 188.

donne, c'est, dit Finkelstein, la puissance militaire de Tsahal « défendant les États-Unis — et même la "civilisation occidentale" — contre les hordes barbares rétrogrades [1] ». Quant à « l'anormalité de l'holocauste nazi », elle n'émane pas de la réalité elle-même, elle n'est pas imputable à la décision méthodiquement exécutée de faire disparaître un peuple de la surface de la terre, elle provient de « l'exploitation industrielle qui s'est développée autour de cet événement [2] ». L'industrie de l'Holocauste ne désigne plus, dans la langue de Finkelstein, la fabrication des cadavres, mais celle des sanglots. Certes, Finkelstein ne va pas jusqu'à affirmer, comme la nouvelle édition espagnole des *Protocoles des Sages de Sion*, que Hitler a été financé par une firme juive new-yorkaise ; il ne prétend pas non plus, à l'instar des négationnistes, que les chambres à gaz sont une affabulation. Ce qu'il dit, et qui fait du négationnisme un brouillon idéologique grossier et débile, c'est qu'une clique assoiffée du sang palestinien et de l'argent européen accable le monde entier sous le mensonge de la catastrophe *incomparable*. Au lieu de dénoncer le crime comme une escroquerie, il reconnaît le crime pour mieux dénoncer l'escroquerie, c'est-à-dire le chantage moral, politique et financier exercé par ses concessionnaires.

Et l'heure de la révolte a sonné : Finkelstein exhorte les hommes courbés sous le joug obscurantiste de « l'uniquement unique » à relever vaillamment la tête. Il

---

1. N. G. Finkelstein, *L'Industrie de l'Holocauste. Réflexions sur l'exploitation de la souffrance des Juifs*, La Fabrique éditions, 2001, p. 24.
2. *Ibid.*, p. 144.

revendique le droit de comparer et même de mettre un signe d'égalité entre la croix gammée et l'étoile de David. Comme Alain Brossat affirmant, dans *L'Épreuve du désastre*, que le sionisme est contaminé par le « poison totalitaire », qu'« une insupportable autoroute mémorielle conduit d'Auschwitz à Jérusalem en passant par Deir Yassin, Hébron, Beyrouth et Chatila » et que dans les veines des Israéliens « coule le sang mauvais de la violence extrême, du vendettisme, de la haine de l'Autre[1] » ; comme Danièle Sallenave parlant de l'inexorable « poussée vers l'est[2] » de l'État hébreu, c'est-à-dire littéralement de son *Drang nach Osten* — Norman Finkelstein est habité par le démon de l'analogie et il milite non contre l'instrumentalisation de la *Shoah*, mais *pour son instrumentalisation au service exclusif de la cause palestinienne*. Au lieu de soustraire le conflit israélo-arabe à la catégorie du Mal *absolu*, pour rendre possible une paix de *compromis*, il reçoit les félicitations de Rony Brauman, dans sa postface, pour avoir levé l'hypothèque du « ce n'est pas la même chose ». Au lieu de critiquer, dans ce qu'elle a de spécifique, l'emprise étouffante d'Israël sur la Cisjordanie et la bande de Gaza, il retraduit *en nazi* l'histoire sioniste, des origines à nos jours.

Nulle haine de soi chez ce fils de rescapés du ghetto de Varsovie et des camps de la mort. C'est avec fierté, au contraire, qu'il excipe de ses origines. C'est le trau-

---

1. A. Brossat, *L'Épreuve du désastre ; le XXᵉ siècle et les camps*, Albin Michel, 1996, p. 324.
2. Danièle Sallenave, « Israël-Palestine : Fin d'une intimidation », *Revue d'études palestiniennes*, nº 26, hiver 2001, p. 46.

matisme de ses parents qui le rapproche des persécutés actuels. C'est la figure du Juif opprimé qu'il défend dans le Palestinien. C'est — paradoxe insoutenable — l'antinazisme qui lui dicte un argumentaire antisémite. Et les mêmes qu'horrifiait, il y a peu, la prose de Renaud Camus déroulent, devant Norman Finkelstein, le tapis rouge du Grand Débat intellectuel.

Le visage de mon assassin

Lundi 26 février, 3 heures de l'après-midi. En toute fin de matinée, dans un des deux beaux studios de France Culture, au sixième étage de la Maison de la Radio, je participais à une discussion avec Rony Brauman, Danièle Sallenave et Véronique Nahoum-Grappe sur le livre de Finkelstein.

Je suis maintenant devant les grilles du Palais de justice, où ma femme doit plaider dans un procès de l'amiante. Un homme plutôt élégant, peau mate, la cinquantaine, m'aborde et, tout de go, sans vouloir se présenter — « je ne suis personne » —, il me suggère de former avec d'autres intellectuels juifs un cercle de réflexion sur Israël : « Les victimes qui agissent comme leurs anciens bourreaux, ça devrait vous faire réagir. » Son ton est civil et je réponds courtoisement que les bourreaux, comme il dit, ont quand même proposé aux Palestiniens un État avec Jérusalem-Est pour capitale : « Ah oui, dit-il, et ces tanks face à des enfants qui jettent des cailloux, ça vous paraît normal ? » Puis, me prévenant qu'il change de langage : « Dans cinquante ou dans cent ans, la juiverie internationale payera tout cela très cher... Les Arabes maintenant sont tout petits... — Pas si petits que ça, dis-je. — Ils ne sont grands qu'en paroles, mais attendez qu'ils se réveillent. » Et là, mon vis-à-vis s'enflamme : « Dites-le, dites-le publiquement que je vous ai prévenu, si vous en avez le courage. Hitler, avec ces six millions au four, n'est pas allé assez loin. Moi, monsieur, je suis antillais, et la juiverie, je lui crache dessus. » Et il s'en va.

Il y a, je le sais bien, un risque de complaisance à monter en épingle un tel incident. J'appartiens à une génération qui n'a cessé de protester contre le confort dont le destin l'avait dotée, par le pastiche et la posture. À l'image de l'orphelin suisse qui s'est inventé l'enfance concentrationnaire de Benjamin Wilkomirski, nous avions deux têtes et nous jouions la *comédie de la tragédie* pour échapper à l'helvétisation de notre monde. Cette fois, pourtant, c'est autre chose. Je ne joue pas dans un film, je ne suis pas la proie consentante du déjà-vu. Cette vindicte soudaine a déserté le lieu qui lui est assigné par la grande tradition du combat contre le racisme et l'antisémitisme. Le syntagme « racisme et antisémitisme » a même explosé sous mes yeux. L'outrage, en effet, ne m'a pas été infligé par un titulaire de la francité, comme le voulait le script, mais par un Antillais en lutte. Il n'y avait pas, de sa part, rejet de l'Autre. *Il était l'Autre.* Étranger face à la puissance, il tenait non le discours réactionnaire de l'exclusion, mais celui, progressiste, de la libération. Comme le cinéaste noir Spike Lee disant l'autre soir au Festival de Berlin que tous les jours, *every single day*, en Amérique, on parle de l'Holocauste, qu'il n'a rien contre, mais que d'autres peuples ont été et sont toujours opprimés dans le monde, mon ennemi anonyme s'insurgeait au nom de tous les démunis contre les nantis du malheur. Il était du bon côté de la barrière. L'œil de l'histoire ne pouvait lui faire honte de ses accusations puisqu'il appartenait au camp d'Abel. Investi par la misère du monde et la révolte des innocents, il ne récitait pas frileusement le cliché, il le replaçait dans le *sens de la marche*. Je n'ai pas eu affaire à un vieux radoteur dépité, mais à un précurseur enthousiaste de l'antisémitisme à venir. Cette haine fraîche se nourrira goulûment du conflit israélo-arabe et, imperméable à la culpabilité, elle mobilisera contre les Juifs vivants la vigilance antiraciste aussi bien que la mémoire de la souffrance juive.

La mort donnée et refusée

La fièvre aphteuse progresse à une vitesse foudroyante. Pour endiguer l'épizootie en Grande-Bretagne et pour la prévenir sur le continent, on tue un nombre incalculable de moutons.

Sans doute n'y a-t-il pas d'autre choix. Mais pourquoi ne pas dire la vérité ? Pourquoi qualifier de *destruction* l'abattage et l'incinération des cheptels comme si les moutons étaient des choses ? Pourquoi leur retirer la mort au moment même où elle leur est si massivement donnée ? Les images furtives mais si répétitives des immenses brasiers nocturnes ou des carcasses désarticulées qu'on jette à la poubelle ne nous font-elles ni chaud ni froid ? Sommes-nous aveugles au spectacle dont nous sommes pourtant les témoins journaliers ? D'où vient cette carence de l'œil et de l'âme ? Du refus d'être enrôlé sous la compromettante bannière de Brigitte Bardot et de galvauder pour les bêtes une compassion déjà trop parcimonieusement dispensée aux hommes dans la misère ? Mais ce n'est pas un ennemi acariâtre de notre malheureuse espèce, c'est l'humaniste Montaigne qui écrit : « Nous devons la justice aux hommes et la grâce et la bénignité aux autres créatures qui en peuvent être capables. Il y a quelque commerce entre elles et nous et quelque obligation mutuelle. »

Cette grâce et cette bénignité nous sont devenues complètement étrangères. Nous avons résilié toute obligation, nous avons aboli tout commerce avec le dehors au profit d'une réduction des animaux d'élevage à leurs performances et à leur caractère comestible. Plus de place en nous pour le promeneur, pour le poète, pour l'enfant, ou pour la tristesse de Vassili Grossman : « Le mouton a un profil humain, *juif, arménien*, secret, indifférent, bête [...]. C'est probablement avec des yeux pareillement dégoûtés et aliénés que les habitants du ghetto auraient considéré leurs geôliers gestapistes si le ghetto avait existé cinq mille ans durant, et que tous les jours de ces millénaires des gestapistes étaient venus chercher des vieilles femmes et des enfants pour les anéantir dans les chambres à gaz [...]. Le traducteur battait sa coulpe devant le mouton, tout en sachant que demain il mangerait sa viande[1]. » Nous, nous mangeons sans battre notre coulpe. Nous manquons même d'hypocrisie. La consommation occulte et recouvre si bien toute autre appréhension de la réalité extérieure que le mouton, c'est immédiatement et uniquement *du* mouton, appétissant ou avarié.

---

1. V. Grossman, *La Paix soit avec vous. Notes de voyage en Arménie*, Éditions de Fallois/L'Âge d'Homme, p. 78-79.

On dit aujourd'hui que la propagation de la maladie est liée à l'agriculture industrielle et à notre système alimentaire. Les brebis galeuses succédant sans transition aux vaches folles, on plaide, avec une vigueur redoublée, pour les méthodes de culture plus *douces*. Après un demi-siècle d'hymnes et de primes au rendement, les gouvernements mêmes semblent sur le point d'abjurer la religion du productivisme.

Mais il n'y a pas d'emploi pour la douceur sur une terre exclusivement peuplée d'artefacts et de marchandises. À détruire, séance tenante, les moutons que la maladie risquerait d'amaigrir et de rendre inutilisables, on n'arrête pas le processus, on le sert et même on l'active. C'est une humanité autiste qui s'affaire aujourd'hui à réparer les dommages provoqués par sa suffisance et sa rupture avec le monde sensible.

« Très honoré Martin Heidegger... »   *10 mars*

Le 26 juilllet 1967, Hannah Arendt donne dans le grand amphithéâtre de l'université de Fribourg une conférence sur Walter Benjamin. Juste avant qu'elle ne prenne la parole, Heidegger, qui n'a prévenu personne, fait son entrée. Murmures dans la salle. Hannah Arendt, surprise, commence par ces mots : « Très honoré Martin Heidegger, mesdames et messieurs... »

Quelques jours plus tard, Heidegger lui écrit : « Lorsque tu as commencé ta conférence en t'adressant directement à moi, j'ai craint aussitôt une réaction peu amène. Elle n'a d'ailleurs pas manqué, et à vrai dire, ne te tracasse pas outre mesure. Il y a des années que je mets en garde les jeunes gens au cas où ils voudraient avancer dans la carrière en leur disant d'éviter de citer Heidegger en abondant dans son sens [1]. » Réponse, par retour du courrier, de Hannah Arendt, alors à Bâle où habite Jaspers : « Quant à la réaction "peu amène" à laquelle tu fais allusion, elle ne m'a pas échappé ; si je l'avais prévue, sans doute aurais-je précisé les choses en accentuant encore le coup de théâtre. Seul me préoccupe à présent le

---

1. H. Arendt-M. Heidegger, *Lettres et autres documents*, 1925-1975, Gallimard, 2001, p. 154.

point suivant : est-ce que cela a été pour toi cause de désagrément de te trouver ainsi interpellé ? Ce fut pour moi la chose la plus naturelle du monde [1]. »

Hannah Arendt, en d'autres termes, ne regrette rien, sauf peut-être de n'avoir *pas assez* consterné l'auditoire. Si elle avait su que son entrée en matière pouvait la rendre antipathique, elle n'aurait pas reculé, elle en aurait rajouté. Si elle avait eu conscience du scandale que risquait de provoquer cette déclaration d'allégeance, elle l'aurait mise en scène, elle l'aurait retravaillée de manière à ériger « la chose la plus naturelle du monde » en *captatio manevolentiae*. Goût de choquer ? Non : défi au goût du jour ; méfiance à l'égard du conformisme quel qu'en soit le message ; point d'honneur ; intraitable fidélité ; refus de sacrifier l'admiration sur l'autel de l'opinion même vigilante, pénétrante, édifiante, irréprochable. Les Allemands qui se sont offusqués de son adresse inaugurale pensent bien, certes, mais ils pensent à l'abri du vent de la pensée ! Ils fuient la sagesse pratique pour les certitudes de l'esprit du temps ; ils se déchargent sur un code moral tout fait de l'aptitude à discerner au cas par cas, ici et maintenant, le beau du laid, le bien du mal. Ils manifestent, jusque dans leur reniement du passé nazi, un inaltérable désir d'appartenance.

On ne se plaindra pas, bien sûr, de la disqualification des idéologies criminelles et de la réconciliation de l'Europe avec la démocratie. Mais l'enseignement de la

1. *Ibid.*, p. 155.

catastrophe ne s'arrête pas là. La leçon qu'en a tirée Hannah Arendt, c'est que, plus on est attaché à un système de valeurs, plus, en cas de crise ou d'effondrement, on est prêt à l'échanger, *pourvu qu'on vous en donne un autre.* Pour elle, comme pour Orwell, « le véritable ennemi, c'est l'esprit réduit à l'état de gramophone, et cela reste vrai, que l'on soit d'accord ou non avec le disque qui passe à un certain moment ».

Arendt ne veut nullement passer sous silence l'égarement catastrophique de Heidegger. Tout en se gardant bien de concéder une philosophie au nazisme, « terrifiant phénomène issu de l'égout[1] », et de perpétuer ainsi, sous l'apparence d'une critique radicale, la crédulité des intellectuels et cette fragilité du jugement qui tient aux « théories prodigieusement intéressantes[2] » dont ils sont capables de pourvoir la réalité la plus médiocre et la plus vile, elle reviendra sur cet épisode à l'occasion de l'hommage composé pour le quatre-vingtième anniversaire du philosophe. Mais elle ne veut pas non plus oublier ce que lui doit sa propre clairvoyance ontologique et politique.

« L'homme socialiste maîtrisera la nature entière, y compris les faisans et les esturgeons, au moyen de la machine. Il désignera les lieux où les montagnes doivent être abattues, changera le cours des rivières et emprisonnera les océans[3]. » Dans ce projet grandiose d'une soumission intégrale de la réalité à la volonté,

---

1. H. Arendt, *Vies politiques*, Gallimard, 1974, p. 319.
2. *Ibid.*
3. L. Trotski, *Littérature et révolution*, Les Éditions de la passion, 2000, p. 144.

Heidegger a aidé Arendt à voir non un idéal trahi par le totalitarisme, mais l'œuvre du ressentiment moderne contre la finitude et contre le monde tel qu'il se donne. Face aux divers avatars du rêve de l'Homme-dieu, c'est-à-dire de la méconnaissance des « enfers » que l'être humain doit encore traverser « jusqu'à ce qu'il apprenne qu'il n'est pas tel qu'il serait susceptible de se faire lui-même[1] », il lui a enseigné la correspondance secrète entre *denken* et *danken*, penser et remercier.

> Plus instituante que le poème
> Plus fondatrice que le noème
> Demeure la gratitude[2].

Hannah Arendt remercie donc Heidegger au vu et su d'un public réprobateur. Elle acquitte sa dette. Elle exprime sa gratitude pour la gratitude.

---

1. Lettre à H. Arendt, *op. cit.*, p. 165.
2. Lettre à H. Arendt, *op. cit.*, p. 244.

Un jour en Forêt-Noire

Le 24 juillet 1967, soit deux jours avant la conférence de Hannah Arendt, Paul Celan, de sa voix monocorde et incantatoire, lisait ses poèmes dans le même amphithéâtre de l'université de Fribourg-en-Brisgau : « À aucun moment de sa vie, Celan ne sera confronté à un public aussi nombreux. Plus de mille personnes sont présentes. Martin Heidegger est au premier rang. Auparavant, ce dernier s'était rendu dans les librairies et avait demandé que les recueils de poèmes de Celan soient exposés bien en évidence dans les vitrines. Ce fut le cas. En se promenant dans Fribourg, le poète vit ses livres dans toutes les librairies : une heure avant la lecture publique, il confia à quelques connaissances, dans le foyer de son hôtel, combien cela lui avait fait plaisir. Heidegger était présent, mais il ne dévoila pas le rôle qu'il avait joué [1]. »

Et les auditeurs de la lecture manifestèrent un tel enthousiasme que Celan ajouta un grand nombre de poèmes encore inédits.

Le lendemain, le philosophe et le poète se rendirent à Todtnauberg. Ils eurent dans le cabanon — la *Hütte* —

---

1. R. Safranski, *Heidegger et son temps*, Grasset, 1994, p. 441.

de Heidegger un entretien dont ni l'un ni l'autre n'ont révélé la teneur. Puis, comme Celan l'écrivit, quelques jours plus tard, à sa femme : « C'était, dans la voiture, un dialogue grave, avec des paroles claires de ma part. M. Neumann, qui en fut le témoin, m'a dit ensuite que pour lui cette conversation avait eu un aspect épochal[1]. »

Sur l'album présenté par Heidegger à ses hôtes, Celan avait rédigé ces mots : *« Ins Hüttenbuch mit dem Blick auf den Brunnenstern, mit einer Hoffnung auf ein kommendes Wort im Herzen »* (« Dans le livre de la cabane, le regard sur l'étoile du puits, avec, dans le cœur, l'espoir d'un mot à venir[2] »). Ce mot, tout donne à penser qu'il n'est pas venu, mais avant de nous ébrouer dans l'allégorie et de tirer des conclusions gigantomachiques du mutisme opposé par le Berger de l'être au Témoin du désastre, n'oublions pas qu'ils se sont revus, à plusieurs reprises, à Fribourg et que chacun des séjours de Celan « altérait profondément[3] » Heidegger, selon les mots de Levinas. N'oublions pas cette lettre écrite par Heidegger à l'auteur de la *Fugue de mort*, le 30 janvier 1968 : « La parole du poète qui dit "Todtnauberg" nomme lieu et paysage où une pensée essaya de faire le pas en arrière dans l'infime — la parole du poète qui est à la fois encouragement et aver-

1. P. Celan, G. Celan-Lestrange, *Correspondance*, I, Lettres, Seuil, 2001, p. 550.
2. P. Celan, *ibid.*, II, Commentaires et illustrations, p. 570.
3. E. Levinas, *Noms propres*, Fata Morgana, 1976, p. 187.

tissement et qui garde dans sa pensée le souvenir d'un jour en Forêt-Noire dont l'humeur fut multiple. Je pense que certaines choses encore, un jour, seront détachées du non-dit pour entrer dans le dialogue[1]. » N'oublions pas non plus que Celan était ignoré en France quand Heidegger le célébrait et qu'à Fribourg ou à Vaduz son auditoire germanique lui faisait un triomphe. Souvenons-nous surtout qu'il a quitté clandestinement la Roumanie et la Hongrie soviétisées pour Vienne, puis pour Paris où il est arrivé le 13 juillet 1948, et que Paris lui a fait payer cher ce *péché contre l'avenir*. Il n'était pas alors un rescapé juif de la Shoah, mais un réfugié politique antistalinien et, à ce titre (si l'on en croit son ami Isac Chiva), il était traité comme un pestiféré par le milieu intellectuel qui, aujourd'hui, fait du zèle en commémorant avec une piété sans discrimination son destin tragique, sa correspondance familiale et l'œuvre rare qu'il s'est acharné à construire.

---

1. M. Heidegger, cité dans P. Celan, *op. cit.*, II, p. 576-577.

En juin 1950, le poète surréaliste tchèque Zavis Kalandra fut condamné à mort pour trotskisme et pendu dans une prison de Prague. Comme le rappelle Milan Kundera dans *Le Livre du rire et de l'oubli*, « André Breton ne croyait pas que Kalandra avait trahi le peuple et son espérance et, à Paris, il avait appelé Eluard (par une lettre ouverte datée du 13 juin 1950) à protester contre l'accusation insensée et à tenter de sauver son vieil ami[1] ». En vain. Eluard refusa de défendre un traître au peuple. S'efforçant alors de faire libérer les Rosenberg, il répondit métalliquement : « J'ai trop à faire avec les innocents qui clament leur innocence pour m'occuper des coupables qui clament leur culpabilité[2]. »

Eluard mourut le 17 novembre 1952. La veille de ses obsèques, Paul Celan écrivit, à Paris, *In memoriam Paul Eluard* :

Pose sur les paupières du mort le mot
qu'il a refusé à celui

1. M. Kundera, *Le Livre du rire et de l'oubli*, Gallimard, « Folio », 1985, p. 108.
2. P. Eluard, cité dans M. Polizzoti, *André Breton*, Gallimard, 1999, p. 648.

qui lui disait tu,
le mot,
que le sang de son cœur a passé
alors qu'une main, nue comme la sienne,
l'a pendu,
celui qui lui disait tu,
aux arbres de l'avenir [1].

1. P. Celan, *Correspondance, op. cit.*, II, p. 491.

Les transports lyriques
de l'âme fermée

Dans le cadre de l'année européenne et pour la sixième édition du « français comme on l'aime », le ministère de la Culture et de la Communication propose dix mots à la créativité du public. Ces mots sont : *beauté, encore, flamme, inspiré, kyrielle, nuance, oiseau, quelqu'un, utopie, voyages*. Et l'AFAL (Association francophone d'amitié et de liaison), en partenariat avec amazon.fr, invite tous les jeunes de dix-huit à trente-cinq ans qui ont l'âme poétique, la plume leste, inventive et originale à participer au concours international des dix mots de la francophonie. Ils doivent, avec tous ces termes, rédiger un message de paix et d'amitié de vingt-cinq lignes maximum et envoyer, avant le 30 avril, leur petit écrit par courrier à l'AFAL ou via l'Internet sur www.amazon.fr/10 mots.

Qu'est-ce donc qu'un texte poétique dans l'espace de la francophonie ? C'est une *kyrielle* de mots qui chantent *encore* et encore la *beauté* dans toutes ses *nuances* ; c'est le sourire de *quelqu'un* qui *voyage* vers tous ; c'est une missive *inspirée* par la *flamme* de l'amour et qui déploie pour *l'utopie* des ailes *d'oiseau*...

Si cette manifestation rencontre le succès qu'elle mérite, il faudra, l'année prochaine, recommencer l'aventure avec

les mots *ailleurs, couleur, demain, espérance, fédérer,*
nomade, primevère, rire, sarabande et *transgression,* ou
bien, car le dictionnaire du bonheur n'a jamais été aussi
foisonnant, avec *azur, bouger, cascade, ensemble, joie,*
mélange, partage, passion, rossignol et *soleil.* Une chose
est sûre : ni *vache,* ni *mouton,* ni *porc* ne seront jamais
proposés à la créativité des adolescents. Ces mots sont
bien trop patauds, trop lents, trop lourds, trop pro-
saïques, trop disgracieux, trop aphteux pour être admis
à danser sur la piste aux étoiles.

Au réel, déjà dissous par la technique dans le virtuel,
la langue en fête substitue les colombes de la propa-
gande et l'abstraite ferveur des clichés. Tandis que
l'écran dématérialise l'existence, l'écrit la délivre de ses
impuretés. La terre et le terre-à-terre, le géographique
et le trivial sont congédiés simultanément. L'angélisme
triomphe avec l'artificialisme. Il n'y a de poésie, pour la
culture en mouvement, que dans l'oubli lyrique du
monde concret. Le *oui* extatique à la vie que profère
cette muse est un *non* catégorique à l'intelligence de
l'humain, et son grand message de paix et d'amitié, une
fermeture au donné, froide, définitive, implacable.

Nos ancêtres, les Gauloises

Soirée électorale à la télévision. Je regarde, j'écoute et je constate que les femmes et les hommes politiques de ce pays parlent désormais une langue au-dessus de tout soupçon. Jamais dans leur discours, vous ne trouverez de Lyonnaises sans Lyonnais, ni de Marseillais célibataires. Les citoyens sont toujours précédés des citoyennes, les habitantes et les habitants ne se quittent plus, les Parisiennes et les Parisiens font bloc, les Toulousaines marquent les Toulousains à la culotte ! Bref, une indéfectible parité grammaticale attache pour l'éternité l'électrice à l'électeur.

Par ce refus vigilant et volubile de concéder au masculin le monopole de l'humain, nos édiles, pour une fois, donnent l'exemple. À nous, la société civile, de continuer le combat et de remédier, dans la conversation comme dans la littérature, à l'immémorial effacement du féminin afin d'offrir aux jeunes générations un monde neuf, un monde sans domination, un monde vraiment libre où les deux sexes seront enfin traités à parts égales.

Maître corbeau et Maîtresse Corneille sur un arbre et sur une haute futaie perché et perchée

Tenaient en leur bec et en leur cornée un fromage et une
tasse de crème fraîche.
Maître Renard et sa compagne par l'odeur alléché et alléchée
Leur tiennent à peu près ce langage et leur disent ces paroles.
« Et bonjour, et bonne journée, Monsieur du Corbeau et
Madame de la Corneille
Que vous êtes joli ! Que vous êtes jolie ! Que vous me sem-
blez beau et belle.
Sans mentir, si votre ramage et votre ritournelle
Se rapportent à votre plumage et à votre livrée
Vous êtes le phénix et la phénixette des hôtes de ces bois et
de ces forêts.

Ce poème pourra être étudié, et cette poésie étudiée, par les garçons et les filles de l'enseignement primaire et de l'école communale.

La République, c'est, avant toute chose, l'abolition des privilèges et des supériorités de naissance. Mais comment réaliser cet objectif ? Comment instituer ce qu'on déclare ? Comment donner corps au principe d'égalité et empêcher la classe bourgeoise, une fois aux commandes, de virer à l'aristocratie, c'est-à-dire de se refermer sur elle-même tout en brandissant le drapeau de l'humanisme universel ?

La réponse donnée par Charles Renouvier en 1873 est aussi claire que tranchante : contre « ces bourgeois peu amis d'une égalité qui élèveraient les ouvriers à leur propre niveau [1] », il revient à l'État d'instaurer, sans complaisance ni relâchement, une forme de sélection dans l'école. À en croire le philosophe de la République, c'est par les concours que pourront être offerts aux meilleurs, toutes origines confondues, les places que la bourgeoisie s'efforce de réserver pour ses propres enfants.

Notre société partage avec Renouvier l'idée que la diffusion de l'instruction est essentielle au projet démo-

---

1. C. Renouvier, cité dans M.-C. Blais, *Au principe de la République. Le cas Renouvier,* Gallimard, 2000, p. 359.

cratique. Mais là où il voyait le remède, elle voit le poison. On combat aujourd'hui la reproduction de l'ordre social en démolissant le dispositif conçu pour y mettre un terme par les fondateurs de l'idée républicaine. Sélectionner, affirme-t-on, c'est exclure. Éprouver les aptitudes, ce n'est pas s'attaquer aux privilèges, c'est, selon la formule de Pierre Bourdieu, conférer « aux privilégiés le privilège suprême de ne pas s'apparaître comme privilégiés[1] ». On estime, autrement dit, que le classement scolaire ne concurrence en aucun cas le classement social, mais qu'il le confirme et, tout ensemble, le cautionne. La démocratie a cessé de croire à la méritocratie. Le mérite, dont les premiers républicains faisaient si grand cas, lui apparaît désormais comme un piège, un mirage, une imposture et le moyen non de donner à chacun sa juste place, mais de donner l'aspect de la justice et de la raison au destin inéluctable de chacun. La volonté de conforter la démocratie par la sélection cède ainsi la place au grand réquisitoire démocratique contre la cruauté d'une école sélective qui, bien loin de s'opposer à la constitution de la bourgeoisie en classe héréditaire, ne ferait que servir ce dessein en offrant à l'arbitraire de la domination bourgeoise l'alibi d'une supériorité d'essence ou de nature.

De Renouvier à nous, ce qui a changé, c'est le sens et le statut de l'égalité. On ne croit pas seulement que

---

1. P. Bourdieu et J.-C. Passeron, *La Reproduction, éléments pour une théorie du système d'enseignement*, Minuit, 1970, p. 253.

les hommes sont égaux en droit, on pense qu'il n'y a pas entre eux d'inégalité *naturelle*. L'élitisme a connu sa nuit du 4 août, avec l'autodéfinition finale de Sartre dans *Les Mots* : « Un homme fait de tous les hommes et qui les vaut tous et que vaut n'importe qui. » Comme écrit encore Bourdieu, les distinctions et les hiérarchies en vigueur « ne peuvent être déduites d'aucun principe universel [...] n'étant unies par aucune espèce de relation interne "à la nature des choses" ou à une "nature humaine"[1] ».

Notre époque a une thèse qui peut s'énoncer ainsi : *Nous sommes tous égaux, et tout est égal, car tout est culturel.* C'est en vertu de cette nouvelle évidence métaphysique qu'au lieu de laisser se déployer à l'école l'inégalité des talents on s'emploie à la déconstruire. Plus question de stimuler et de promouvoir le bon élève, surtout quand il est pauvre, comme le faisait encore ce disciple de Renouvier qu'était M. Germain, l'instituteur du petit Albert Camus. Pour ne pas reconduire l'ordre établi, on choisit de stigmatiser l'émulation, de supprimer le mortifiant archaïsme de la distribution des prix, de généraliser les classes hétérogènes et d'intégrer peu à peu dans les programmes des « éléments mieux maîtrisés par les milieux populaires ». Aux collèges, aux lycées, aux académies qui affichent de très bons résultats, l'institution reproche de décourager une partie des élèves par leur fort niveau d'exigence. Et les

---

1. *Ibid.*, p. 22.

voici condamnés, du fait de leur réussite insolente, pour non-assistance à enfants en grande difficulté.

Mais le zèle compatissant ne conduit pas nécessairement au paradis. Il ne suffit pas de marteler que tout échec à l'école est un échec de l'école pour faire échouer la reproduction sociale. Il ne suffit pas de flétrir et de prohiber la sélection pour la faire disparaître. Une sélection féroce, et d'autant plus injuste qu'elle est clandestine, double le *système samaritain* mis en place par le nouveau discours de la démocratie. L'abaissement du niveau et le remplacement de la culture générale, chère à la rêveuse bourgeoisie, par la culture commune « proche des préoccupations des gens » ne profitent à personne. Mais seuls peuvent encore échapper au marasme certains enfants bien nés, soit qu'ils aient des répétiteurs, soit qu'ils trouvent refuge dans l'enseignement privé, soit qu'on les dirige vers des établissements publics qui ne respectent pas les consignes. Et, à la sortie du secondaire, quand il devient impossible de surseoir à l'épreuve de vérité, ce sont eux, et eux seuls, qui peuplent les divers instituts payants où on rattrape le temps perdu et où on prépare les concours. Ainsi entrons-nous dans la société dynastique par la réforme même qui prétend nous en faire sortir. Il y a toujours moins de *non-bourgeois* dans les lieux d'excellence. Si, en 1950, 29 % des élèves de Polytechnique, de l'École nationale d'administration, de l'École normale supérieure et de Centrale venaient des milieux populaires, ils ne sont plus que 9 % aujourd'hui.

Le président de l'Institut d'études politiques de Paris a donc décidé de prendre le taureau par les cornes. Il a fait adopter par le conseil de direction de sa prestigieuse école des conventions de partenariat avec sept lycées « socialement défavorisés » de la banlieue parisienne et de l'Académie Metz-Nancy. Dès le mois de septembre 2001, des bacheliers issus d'établissements situés en « zone sensible » entreront dans le saint des saints de la rue Saint-Guillaume non pas sur concours, mais sur dossier et sur entretien.

Pourquoi ces sept lycées et non pas d'autres ? Comment mesurer les qualités « d'ouverture au monde, d'adaptation, d'investissement personnel et de motivation » qu'on veut substituer au savoir académique pour cette filière d'un nouveau type ? À quels critères obéira la désignation des *défavorisés* qui auront le *privilège* d'entrer à Sciences-Po sans concourir ? Chloé, élève de terminale ES du lycée Saint-Exupéry à Fameck (Moselle), vient de livrer ingénument le mot de l'énigme. Elle a choisi, en effet, pour son dossier d'admissibilité le difficile sujet du conflit israélo-palestinien « à cause de l'inquiétude soulevée par l'arrivée au pouvoir d'Ariel Sharon[1] ». Ce « à cause de » vend la mèche. L'aggravation quotidienne du conflit israélo-palestinien ne peut laisser personne indifférent, mais

1. *Le Monde,* 27.03.2001.

où, sinon dans les milieux issus de l'immigration, comme disent les spécialistes du social, l'anxiété et l'épouvante ne sont-elle provoquées *que* par l'arrivée au pouvoir d'Ariel Sharon ?

La composition ethnique du peuple ayant beaucoup changé depuis 1950, Sciences-Po a pris la décision « citoyenne » de s'ouvrir à ces milieux, de leur offrir une deuxième chance en compensant l'injustice du concours pour tous par la loterie des sept établissements élus. Sept, en effet, c'est bien assez pour fournir des candidats au bon profil et améliorer les pourcentages...

Il était une fois l'individu ; voici venus les temps des échantillons représentatifs. La justice est désormais affaire de statistiques. *Qui* on est importe peu, c'est *ce qu'*on est qui compte de plus en plus. Force est donc de constater que le rejet de la sélection renforce l'arbitraire et que l'abandon de toute référence à une nature ne bénéficie pas à la liberté, mais débouche, au contraire, sur l'arrimage du *qui* au *ce que*, de la personnalité à l'appartenance, et de chacun à sa classe, à sa minorité, à sa communauté d'origine.

« La société, disait Renouvier, est intéressée à ce que les fonctions politiques et les professions libérales ne se recrutent pas uniquement dans la classe bourgeoise, à ce que toutes les capacités puissent se faire jour, monter, se développer et trouver les emplois là où elles peuvent rendre les meilleurs services[1]. » Maintenant

---

1. C. Renouvier, *in* M.-C. Blais, *op. cit.*, p. 358.

que le monde est culturel de part en part, les capacités sont placées sous la tutelle des identités et la société aspire d'abord à être fidèlement représentée dans toutes les instances. Représentation ou reproduction : on ne conçoit plus d'autre alternative. Et c'est au nom de *l'ordre sociologique* que la démocratie postrépublicaine se lance vaillamment à l'assaut de l'ordre social.

La tyrannie de la représentativité *3 avril*

On pouvait lire, il y a quelques jours, dans la rubrique « Débats » du quotidien *Le Monde*, le surprenant récit de la rencontre entre Alain Duhamel et une étudiante — désignée par les initiales D.C. — qui venait d'être admise à Sciences-Po. Jeune professeur jouissant déjà d'un certain renom, il avait à cœur de recevoir un à un toutes celles et tous ceux qui devaient suivre ses cours. Rendez-vous fut donc pris, et voici ce qui arriva dans l'appartement bourgeois de l'immeuble cossu du Ve arrondissement où habitait Alain Duhamel : « Le maître plein d'aménité, tout en refermant la porte, proposa à la visiteuse de "s'asseoir dans la bergère". En une seconde, le ciel s'écroula. D'un regard désespéré, D.C. s'efforça de reconnaître la bergère parmi les sièges disposés avec goût dans le bureau du maître, n'y parvint pas, sentit le sol se dérober sous ses pieds, prit place au hasard, en tremblant. Ce qui s'est dit alors n'a laissé aucune trace. De cet entretien qui eut lieu, il y a trente ans, ne reste que le souvenir amer de la bergère. Dans le salon du pavillon de Dugny en Seine-Saint-Denis, on ne connaissait de bergère que celle qui garde les moutons [1]. »

1. D. Cabelli, « La bergère d'Alain Duhamel », *Le Monde*, 24.03.2001.

Nous sommes conviés à lire ce furtif épisode comme un roman d'éducation. D.C. avait cru s'affranchir, par les concours et par les diplômes, de sa classe d'origine, et patatras ! Elle retombait dedans faute de savoir discerner une bergère d'un voltaire ou d'un cabriolet. Elle qui avait tant misé sur l'élitisme républicain n'accédait à l'un de ses sanctuaires que pour en être symboliquement chassée et faire, au seuil du temple, l'expérience traumatisante du rejet. Violence de la politesse, brutalité de l'urbanité, racisme des bonnes manières, exquise férocité de l'ordre social : D.C. — laisse entendre cette petite fable — fut comme renvoyée chez elle par le professeur qui la recevait si gentiment chez lui. Et la vérité qui, comme on sait, n'est pas gaie, se révéla à elle avec toute sa rudesse : le savoir-vivre bourgeois est l'art de remettre chacun à sa place avec un sourire bienveillant et hospitalier.

Mais des bergères, il n'y en a pas seulement dans les habitations luxueuses des gens huppés. On en trouve aussi, ou leurs équivalents et les sentiments qui vont avec, dans la correspondance de Rilke, le théâtre de Tchekhov, les romans de James, ou *La Recherche du temps perdu*. Et cette délicate culture de porcelaine n'est familière qu'à un tout petit segment de la société. Même s'ils ne cassent rien, les quelques éléphants apprivoisés qui ont réussi à se faire admettre n'y seront jamais chez eux et, délibérément ou sans le faire exprès, on ne se privera pas de le leur faire savoir. Moralité : rien ne sert de recruter des élèves issus de

Dugny, des Minguettes, du Val-Fourré ou de La Cour-
neuve si on continue imperturbablement à les faire
s'asseoir dans des bergères et à leur offrir, en guise de
monde commun, les élégances surannées de *Bérénice*
ou de *La Princesse de Clèves*. Pour ne pas reconduire
l'inégalité en élevant abusivement au statut de culture
générale le cérémonial et les engouements d'une classe
particulière, il faut que toutes les classes, toutes les
minorités, toutes les communautés soient *représentées*
dans la culture.

« L'art lève la tête là où les religions perdent du terrain », disait Nietzsche. L'homme s'autorise à explorer
l'inconnu quand Dieu se retire du monde. Cette définition (partielle) des Temps modernes ne convient plus à
notre temps. À l'âge de la représentativité, en effet, *la
société lève la tête* et dénonce l'art comme l'ultime hypo-
stase, la dernière religion. L'homme, dit la société ou
ceux qui parlent en son nom, a détaché de lui cette idole,
et il a oublié qu'elle est née, il a jeté le voile sur ses
conditions matérielles de production. Afin de mener à
son terme le grand procès de laïcisation, on a donc
voulu déchirer le voile. À la religiosité de l'art, on
oppose maintenant sa *traçabilité*. On le déconstruit, on
le défétichise, on le dédivinise en indiquant la provenance des œuvres et en les rapportant à l'identité qui se
manifeste en elles. La pensée critique espère en finir
ainsi avec l'élitisme et substituer, un jour prochain, le
déploiement égalitaire des différences aux vieilles hié-

rarchies entre les hommes, les pratiques symboliques ou les formes d'expression.

Le baume du « en tant que » étendra alors ses bienfaits sur l'humanité entière. On sera respecté et représenté en tant que jeune, en tant que femme, en tant que musulman, en tant que *black*, en tant que Basque, en tant que Corse, en tant que Juif d'origine polonaise, en tant que Juif méditerranéen, en tant que catholique, en tant qu'homosexuel, en tant qu'enseignant, en tant que ménagère de moins de cinquante ans, en tant qu'exploitant agricole. Chacun sera fier de son identité. La société, toujours visible à elle-même, veillera à la présence et à la reconnaissance des minorités jusque dans ses institutions les plus traditionnelles. Dans cet Éden sociologique où l'offense et l'humiliation n'auront pas droit de cité, il n'y aura pas de place non plus pour la part de l'homme résistante au social, irréductible au culturel et qui, sous la plume ou le pinceau d'un artiste inégalable, a pu, quelquefois, élire domicile dans des bergères de la bonne société.

L'aubaine du pire

Les Israéliens perdront-ils un jour leurs *désillusions* ? Aujourd'hui, en tout cas, ils sont incrédules et unanimes à ne plus vouloir s'en laisser conter. Dans les concessions territoriales auxquelles ils étaient massivement disposés, ils ne voient maintenant qu'un aveu de faiblesse qui aiguiserait immanquablement l'appétit de l'adversaire. Le retrait unilatéral du Liban n'a-t-il pas radicalisé les Palestiniens en laissant penser que le harcèlement terroriste payait mieux que la diplomatie ? En s'exprimant au nom d'un milliard de musulmans et en revendiquant le droit au retour, les responsables palestiniens n'ont-ils pas « dépalestinisé » leur cause et délaissé l'option de l'État indépendant pour le vieux rêve antisioniste de l'État unitaire et — provisoirement — binational ?

Mais, par-delà ce scepticisme général, les Israéliens restent profondément divisés. Il y a ceux que l'échec désole, et ceux qu'il enchante. Il y a les idéalistes qui *tombent de haut* et les pessimistes qui *l'ont toujours dit*. Il y a ceux qui portent le deuil de la paix, et il y a ceux pour qui le naufrage des accords d'Oslo est une très bonne nouvelle. Au messianisme des colons de Hébron ou de Netzarim, les émeutes et les attentats apportent la caution inespérée du réalisme. L'impasse historique entretient leur optimisme eschatologique. Le désastre ne leur fait pas seulement peur, il leur fait signe aussi. L'Intifada est tout à la fois la calamité qui les vise et la circonstance qui les comble, car elle porte un coup qu'ils espèrent fatal à la logique des territoires contre la paix. Exposés physiquement, ils jubilent idéologiquement et ils remercient la Providence des détours dont elle use pour anéantir l'opposition de leurs citoyens sans religion au renforcement de la présence juive en Judée-Samarie.

C'est quand l'échec est accueilli comme une aubaine que la tragédie triomphe et que son scénario implacable atteint même une sorte de perfection.

Les conformistes rugissants

Les ayants droit d'hier se croyaient supérieurs aux infortunés et cette présomption se lisait parfois sur leur visage. Les favorisés d'aujourd'hui mettent toute leur énergie à se convaincre et à imposer l'idée qu'ils sont des dominés, des réprouvés, des proscrits, et qu'ils ne se laissent pas faire. Les coqueluches et les porte-parole de l'opinion en place se félicitent chaleureusement d'entrer en résistance. La grande fierté des nouveaux hommes grégaires est de ruer dans les brancards. L'esprit du temps exulte à grand bruit de penser à contretemps et de ne formuler sur tout sujet que des considérations intempestives. Plus on est branché, c'est-à-dire dans la ligne, et plus on revendique la qualité de provocateur. On raconte sans tabou ses exploits sexuels à l'ère de l'exhibition et de l'indiscrétion généralisées ; on fustige la pudibonderie sous le règne de la permissivité ; on pourfend le nationalisme quand triomphe l'idéologie du métissage ; on déclare la guerre à la nostalgie alors que le présent nous encercle et barre toutes les issues. Avec l'audace des grands réfractaires, on dit ses quatre vérités à la dynamique reine Victoria et on traque, sous les multiples oripeaux dont il s'affuble, l'immortel maréchal Pétain. On brave les interdits de la civilisation judéo-chrétienne et les persécutions de Torquemada. On prétend, alors qu'on mène le bal, répondre du crime d'hérésie, et c'est en écumant de rage contre un fascisme en pleine ascension que l'art contemporain fait main basse sur les institutions culturelles.

Il n'y a pas de défaut dans la cuirasse des heureux du monde postsoixante-huitard. Ils ont le stéréotype sulfureux, le cliché rebelle, la doxa dérangeante et bien meilleure conscience encore que les notables du musée de Bouville décrits par Sartre dans *La Nausée*. Car ils occupent toutes les places : celle, avantageuse, du Maître et celle, prestigieuse, du Maudit. Ils vivent comme un défi héroïque à l'ordre des choses leur adhésion empressée à la norme du jour. Le dogme, c'est eux ; le blasphème aussi. Et pour faire acte de marginalité, ils insultent en hurlant leurs très rares adversaires. Bref, ils conjuguent sans vergogne l'euphorie du pouvoir avec l'ivresse de la subversion. Salauds.

« De tous les hommes d'État de notre temps, écrit Kundera, François Mitterrand est sans doute celui qui a donné la plus grande place à l'immortalité dans ses pensées [1]. » Et Kundera rappelle la stupéfiante journée du sacre : « Le 21 mai 1981, alors que retentissait par un ciel d'orage la musique de *L'Hymne à la joie*, le Président nouvellement élu entra, seul et suivi par quelques millions de téléspectateurs, dans la crypte du Panthéon. » Là, pensif et solennel, il déposa successivement trois roses sur les tombes de Jean Moulin, de Jean Jaurès et de Victor Schœlcher : la Résistance, le socialisme humaniste, l'abolition de l'esclavage. « Tel un arpenteur, il planta ces trois roses comme trois jalons sur l'immense chantier de l'éternité pour délimiter ainsi le triangle au milieu duquel il érigerait son palais [2]. »

Mais, malgré cette précaution inaugurale et malgré les grands travaux pharaoniques des deux septennats, malgré le symbole et malgré la pierre, c'est une tout autre immortalité qu'habite maintenant, pour son malheur posthume, l'ancien Président. « Ce qui va rester de sa

1. M. Kundera, *L'Immortalité*, Gallimard, 1990, p. 67.
2. *Ibid.*

présidence, c'est Vichy », vient de déclarer Serge Klarsfeld avec l'autorité que lui confère son mémorial de la
déportation des Juifs de France. Ainsi Mitterrand n'aura
exercé la plus haute fonction de la République entre 1981
et 1995 que pour être tenu comptable de son interruption
entre 1940 et 1944. Lui qui, durant ses longues années
élyséennes, a transformé son visage en effigie romaine et
s'est composé un aspect marmoréen pour être immortel
de son vivant, le voici ramené par les ministres de la
mémoire à sa jeunesse floue, à ses années tâtonnantes, à la
période de l'histoire où il n'était presque rien.

La sentence de Serge Klarsfeld n'est pas tombée du
ciel mais du livre que publie Georges-Marc Benamou
— « Jeune homme, vous ne savez pas de quoi vous
parlez » — sept ans après *Une jeunesse française*, la fracassante enquête de Pierre Péan qui montrait en cou-
verture le fringant Mitterrand reçu à Vichy par le maréchal Pétain. Si l'on en croit les dernières indiscrétions
de son dernier favori, le monarque moribond a fini par
baisser la garde et, abandonnant son masque mor-
tuaire, se montrer pour ce qu'il était : non certes un
antisémite (bien que poussé à bout par les pressions et
les guets-apens de Serge Klarsfeld pour lui faire reconnaître la responsabilité de l'État français dans les crimes
de Vichy, il se soit laissé aller, en privé, à parler de
« lobby juif »), mais un maréchaliste impénitent. « Il
aimait Vichy, écrit Benamou, c'était plus fort que lui [1]. »

1. G.-M. Benamou, *Jeune homme, vous ne savez pas de quoi vous parlez*,
Plon, 2001, p. 84.

La preuve : à son interlocuteur qui lui rappelait les derniers mots griffonnés par Georges Mandel avant d'être exécuté par la Milice dans la forêt de Fontainebleau — «Vichy Bibliothèque rose, terreur blanche, marché noir» —, le Président aurait répondu : « Ah, Vichy... ! »

Il y a des journalistes expérimentés qui voient dans ce jugement suspensif un signe irréfutable d'allégeance. J'envie leur conviction. Quelle preuve ont-ils de l'existence de la preuve aujourd'hui brandie par le confident d'alors, eux qui, par profession, sont censés chercher, examiner et défendre les vérités factuelles ? À supposer même que François Mitterrand ait bien dit « Ah, Vichy... ! » et que sa réponse se décompose en un « ah » lourd de secrets et deux « i » primesautiers, comme l'affirme Georges-Marc Benamou qui a eu besoin de sept ans de réflexion pour acquérir l'oreille absolue, est-on, pour autant, fondé à ériger cette intonation en confession, en aveu involontaire de fidélité à une ambiance délétère et à un régime crapoteux ? C'est un homme au bord du gouffre qui parle, c'est un condamné qui soupire et qui se souvient, dans un murmure, de l'époque où il était jeune, où la mort était un beau risque à courir, non une échéance, et où il n'avait pas d'autre passé que celui que lui inventait son ambition, comme il le dit dans *Les Mémoires interrompus*, son livre d'entretiens avec... Georges-Marc Benamou [1].

1. F. Mitterrand, *Mémoires interrompus*, Odile Jacob, 2001, p. 77.

« Les nuages orangés du couchant éclairent toute chose du charme de la nostalgie : même la guillotine », écrit encore Kundera, mais, cette fois, dans *L'Insoutenable Légèreté de l'être*. Et, scandaleusement, il ajoute : « Il n'y a pas longtemps, je me suis pris moi-même sur le fait : ça me semblait incroyable, mais en feuilletant un livre sur Hitler, j'étais ému devant certaines de ses photos ; elles me rappelaient mon enfance ; je l'ai vécue pendant la guerre ; plusieurs membres de ma famille ont trouvé la mort dans les camps de concentration nazis ; mais qu'était leur mort auprès de cette photographie de Hitler qui me rappelait un temps révolu de ma vie, un temps qui ne reviendrait pas[1]. » On ne peut donc, quand on a un cœur instruit, déduire de son hypothétique « Ah, Vichy... ! » le vrai visage vichyste du vieux roi mélancolique et malade. Aussi rien n'est-il plus légitime que l'écœurement des amis du défunt devant la trahison de son ancien chouchou et sa volte-face inquisitoriale. Jean Lacouture, Edmonde Charles-Roux, Jean Glavany, Jean-Louis Bianco et quelques autres ont raison de « réagir en mémoire d'un homme si ignoblement attaqué après avoir été si servilement flatté (et souvent par les mêmes hommes) ». Ils ont raison également de rappeler qu'il a vécu la guerre et l'Occupation en prenant bien plus de risques que d'autres qui le jugent aujourd'hui avec des certitudes forgées cinquante ans plus tard. Mais lorsqu'ils font à

1. M. Kundera, *L'Insoutenable Légèreté de l'être*, Gallimard, 1984, p. 10.

François Mitterrand le « reproche amer » d'avoir pu supporter auprès de lui des courtisans assez méprisables pour se livrer maintenant à ce genre de prouesses herméneutiques, les signataires de cette pétition restent à la surface des choses.

Ce choix, en effet, ne témoigne ni d'une faiblesse de caractère ni d'une détérioration du jugement. Le souverain valétudinaire avait la vue bonne. Il a tapé dans le mille en haussant à la dignité d'intime l'ancien directeur du magazine *Globe*, c'est-à-dire non seulement un « tontonmaniaque » enthousiaste comme on disait à l'époque, mais le plus authentique porte-parole de la génération Mitterrand. Et qu'était-ce donc que cette génération fervente sinon le capiteux cocktail du culte des droits de l'homme et de la religion du succès, l'alliance inédite de l'antiracisme obsessionnel et de l'individualisme déchaîné, l'euphorique mariage de « Touche pas à mon pote ! » avec « Pousse-toi de là que je m'y mette ! » ? Celui-là même qui laissa, sans réaction ni regret, l'économisme et le technicisme réduire l'action politique à la gestion des conséquences sut admirablement faire vivre ses troupes dans la chaleur et l'exaltation d'un combat manichéen contre la France reptilienne. À défaut d'un projet politique clairement assignable, il eut le talent d'entretenir la haine des vieux démons, miraculeusement rajeunis par le Front national. Tout en prenant plus que sa part au brouillage des frontières et à la confusion des valeurs, il maintint avec virtuosité une vision dichotomique du monde. Négligeant la grande leçon de Simone Weil et de Marc Bloch, à savoir que la nation n'a été défaite en 1940 que parce qu'elle s'était défaite avant, il donna l'onction de l'antifascisme à la dissolution présente de la nation dans la société civile mondiale et il convertit un processus destinal en corps à corps héroïque avec le mal absolu. Ce don de l'irréalité fit beaucoup pour son image : la jet-set l'adorait, les anges étaient aux anges, la gauche s'émerveillait de ses gestes symboliques forts comme la décision de participer au défilé organisé au lendemain de la profanation du cimetière juif de Carpentras, le 11 mai 1990. C'est donc dans une société tout à la fois lyriquement encline et idéologiquement dressée à l'antivichysme que son passé tortueux a refait brutalement surface. Résultat : il est aujourd'hui broyé par la machine à simplifier le monde qu'il a contribué à mettre en branle. Un mauvais procès lui est fait par des juges qui, comme il s'en est rendu compte trop tard, ne savent pas de quoi ils parlent, mais qui ont forgé à son contact et avec sa complicité leurs postures comme leur incompétence. Ce sont ses enfants qui le piétinent, ses disciples qui s'acharnent contre lui, ses héritiers qui oublient que, lors de la fameuse rencontre avec Pétain, il était flanqué d'un compagnon, Marcel Barrois, mort quelque temps plus tard en route vers la déportation, après l'avoir précédé de peu dans la Résistance active. Ce sont ses successeurs enfin qui mettent sa vie à l'épreuve de la grande épopée substitutive dont fut auréolée par ses soins une partie au moins de son règne.

La pénible lecture du livre impudique et des commentaires édifiants qui avaient pour but de me clouer dans la tête la sentence de Serge Klarsfeld et de me faire haïr François Mitterrand a eu l'effet inverse de me le rendre proche, digne de pitié, presque aimable dans son dessaisissement et dans sa solitude. L'humanité était clairement de son côté, non dans le camp des bons qui s'applaudissent à ses dépens de leur supériorité morale. N'empêche : ils ont quelque chose de lui, ces ingrats ; ils le prolongent en le trahissant ; leur rupture porte sa marque ; le quitter de cette manière, c'est l'actualiser. Mitterrand brûle en enfer, mais l'esprit de la génération Mitterrand souffle sur notre monde comme l'attestent les tirades enflammées contre la messe en latin ou le fascisme à la française de ceux qui, par ailleurs, « exaltent le vacarme mass-médiatique, le sourire imbécile de la publicité, l'oubli de la nature, l'indiscrétion élevée au rang de vertu [1] » et que Kundera appelle les collabos de la modernité.

---

1. M. Kundera, *L'Art du roman*, Gallimard, 1986, p. 154-155.

« Allô Marie ? Je suis à Valence, et toi ? ... Hier soir, nickel, je suis passé par l'intérieur. Impeccable sur Paris : aller-retour, cinquante minutes. »

« Thierry, c'est Nathalie à l'appareil. Le train a du retard. Un quart d'heure, vingt minutes. À tout à l'heure, ami. »

Je hais les portables, j'en souffre partout, je constate avec effroi qu'il n'est plus de trottoirs, plus de terrasses, plus de boutiques, plus de musées, plus de déserts indemnes de leur sonnerie guillerette et de leur exaspérant babillage, mais faute de pouvoir les désinventer ou mettre à l'amende leurs utilisateurs, je trompe mon accablement en me faisant le secrétaire fébrile des monologues syncopés qui s'entrecroisent au-dessus de ma tête en ce jour de transhumance dans le TGV Paris-Avignon.

« Allô, je viens de m'apercevoir que l'agence s'est plantée et qu'ils m'ont pas réservé de retour pour demain. Ça fait chier, vraiment ! Est-ce que tu pourrais me faire une nouvelle réservation pour dimanche en disant qu'ils se sont plantés ? Ils voudront pas rembourser ? Attends ! Trois cents balles perdues par leur faute, c'est pas possible ! Voilà : il faut toujours tout vérifier soi-même, on peut jamais faire confiance à personne. »

Même si mes voisins ou mes voisines (les nouvelles technologies sont strictement paritaires) ne hurlent pas dans le minuscule et magique appareil qui les délocalise à volonté, ce déferlement de bla-bla m'est beaucoup plus douloureux que n'importe quelle conversation entre passagers. Car, en l'occurrence, ce n'est pas mon confort qui est en cause, c'est ma réalité même. Les rouspéteurs ou les roucouleurs à distance ne se contentent pas de me déranger, ils me gomment. Je suis simultanément agressé et aboli par leur inanité sonore. Ils agissent comme si je n'étais pas là, avec un naturel tellement confondant que j'ai envie de crier pour *faire acte de présence*. Exhibitionnistes, eux ? Pas du tout. On se montre, on s'expose à quelqu'un, l'impudeur est le fait d'un être humain qui tisse avec ses congénères des rapports excitants ou tordus ; la perversité est l'hommage que le vice rend à l'altérité. Pour ces bavards d'un nouveau type, en revanche, il n'y a personne : ils ne voient pas leur vis-à-vis, ils le transpercent. Lorsque, sans prévenir, ils sont apparus sur la terre, j'ai commencé par leur reprocher (silencieusement) de déverser leur vie privée ou professionnelle dans l'espace public. C'était encore trop concéder à leur arrogance. Avec eux, l'espace public disparaît, la distinction élémentaire entre la solitude et la compagnie s'efface. Et ce qu'il y a de plus obscène dans cette incontinence verbale, c'est l'oubli tranquille de son obscénité. En les subissant, je pense à la vie quotidienne des chauffeurs de taxi : celle-ci n'a jamais été très drôle. Aujourd'hui, elle est effroyable : depuis que, cadres ou voyous, mamans en retard ou artistes stressés, des donneurs d'ordres se succèdent sans interruption dans leur véhicule en communiquant à tout va, ils sont comme frappés d'inexistence. Ils n'ont plus droit ni à la curiosité, ni à la considération, ni même à l'indifférence. Le néant est l'étrange destin de ces hommes invisibles. Et comme, équipés des mêmes prothèses, ils nous le rendent bien, je plains déjà en eux une humanité qui n'est plus.

À l'extravagant «Tu aimeras ton prochain comme toi-même» de la morale biblique, le siècle de la communication a substitué un commandement beaucoup plus accessible : «Tu tiendras le premier venu pour nul et non avenu, tu ne te laisseras pas détourner de tes besoins, de tes soucis, de tes opérations et de tes proches, même quand ils sont loin, par les prochains que le hasard aura l'idée de mettre sur ta route.» Les adeptes de cette morale ne sont pas des «bobos» contrairement à ce que déclare en leur nom une sociologie complaisante. La *bourgeoisie*, on l'a assez répété, est obsédée par les formes ; la *bohème* cultive le goût de l'aventure. La bourgeoisie pourchasse le laisser-aller ; la bohème combat l'*emploi* du temps et déteste remettre à demain ce qu'on peut faire la semaine prochaine. La bourgeoisie maintient la vie dans le corset du savoir-vivre ; «oisive jeunesse à tout asservie», la bohème attend de la fée occasion qu'elle régénère la vie. « Allô, tout va bien ? Bisous à mon petit, je rappelle dès que j'arrive » : la technique alliée à la spontanéité abolit ce qui pouvait rester d'éducation bourgeoise chez les prétendus bobos. C'est en toute innocence qu'ils encombrent le monde de leurs préoccupations domestiques et utilitaires. Quant à la bohème, il ne faut plus y songer. Comme leur nom ne l'indique pas, les nouveaux objets nomades sont des fils à la patte incassables. Il n'est plus possible désormais même aux cap-horniers de se débrancher et de larguer les amarres ! Le portable, c'est le cocon élargi aux dimensions de l'univers, c'est une existence soustraite à l'épreuve salutaire de la séparation, c'est l'éloignement jugulé par le « toujours joignable » et c'est le vide angoissant qu'il faut faire en soi pour rencontrer, pour contempler ou pour battre la campagne, conjuré par l'affairement perpétuel. La technique n'arrache l'humanité à la sédentarité que pour instaurer le règne sans échappatoire de la maison et du bureau.

Ni bourgeois ni bohèmes, les innombrables titulaires des derniers sésames de la révolution informationnelle ne sont pas non plus des citoyens, malgré l'usage intempérant qu'ils aiment à faire de ce terme. « Avoir l'esprit politique, disait Hannah Arendt, c'est prendre un plus grand soin du monde qui était là avant que nous n'apparaissions et qui sera là après que nous aurons disparu que de nous-mêmes, de nos intérêts immédiats et de nos vies. Par là, je ne veux pas dire héroïsme :

simplement qu'en entrant dans le domaine politique, toujours en provenance de la sphère privée de notre vie, nous devons être capables d'oublier nos soucis et nos préoccupations[1]. » Les hommes au mobile, en revanche, peuvent bien tisser leur trame et ourdir, en se connectant, des stratégies compliquées : ils n'entrent pas dans le monde, car, où qu'ils aillent, ils ne sont jamais vraiment en dehors de chez eux. Leur minuscule machine les affranchit de tout ce qui est extérieur et leur remet sans cesse à l'esprit, à la bouche, à l'oreille les intérêts immédiats qui accaparent la vie.

Bourgeois, bohème, citoyen, communication : quatre mots revendiqués, quatre mensonges éhontés. Le dernier recouvre la méthodique destruction du monde commun par les machines intelligentes du XXIe siècle, et les trois autres, la muflerie déroutante de leurs heureux propriétaires.

---

1. H. Arendt, citée dans É. Tassin, *Le Trésor perdu, Hannah Arendt, l'intelligence de l'action politique*, Payot, 1999, p. 50.

À ce qu'on dit, à ce que dit le « on » qui pérore en chacun de nous, le chef du gouvernement français traverse une zone de tempêtes et file un très mauvais coton. Attaqué par une opposition ragaillardie, boudé, d'après les calculs des politologues, par une frange de l'électorat populaire, chahuté dans son propre camp, exposé aux surenchères des petits partis de la turbulente majorité plurielle et même rendu responsable des intempéries par les habitants inondés du département de la Somme, il est à bout, il craque, il perd ses nerfs. La preuve : dans l'avion qui le ramenait d'un voyage officiel au Brésil, il a convoqué l'envoyée spéciale de l'Agence France-Presse et son homologue d'une chaîne de service public de la télévision, et il leur a, pendant de longues minutes, *passé un savon*. Oui, vous avez bien lu : pas de la pommade, comme nous en passons tous aux Grands Intermédiaires qui ont le pouvoir de nous transporter de l'ombre à l'existence, et inversement, mais un savon, un vrai savon, dur et rêche.

Alors même que les intellectuels les plus courageux en restent à des considérations qui ne mangent pas de pain sur les méfaits de la société médiatique, le Premier

ministre de la patrie des droits de l'homme s'est laissé
aller à cet impair suprême : il a engueulé deux brahmanes. Coup de sang ? Coup de folie plutôt. Bouffée
délirante. Pétage de plombs. Grosse fatigue. Les autres
brahmanes n'en sont pas revenus. Quant à ses col-
lègues du gouvernement, effarés par l'admonestation
sacrilège, ils ont fait le gros dos ; une ministre a même
conseillé au locataire de l'hôtel Matignon de prendre
une semaine de vacances. Rien de tel que le bon air et
une cure de thalassothérapie pour retrouver le sens des
hiérarchies démocratiques.

À y regarder de près, pourtant, Lionel Jospin ne
manquait pas d'arguments. La veille, il avait prononcé
un discours sur le défi politique ou plutôt sur le *défi à
la politique* dont notre époque est le théâtre. Ce que la
mondialisation met à mal, en effet, ce n'est pas seulement l'égoïsme des États soudain dépouillés de leurs
prérogatives souveraines, c'est la politique comme
intérêt pour la chose publique ou comme souci du
monde. La planète mondialisée peut-elle être encore
pour les hommes un objet de responsabilité ? Quelle
place reste-t-il à l'action politique dans « la dynamique
portée par l'ouverture des marchés, la circulation des
capitaux, la diffusion rapide des innovations, la célérité
croissante des communications » ? Or, cette question
cruciale a été éclipsée dans la presse française par les
commentaires du Premier ministre devant les étudiants
du centre culturel Candido-Mendes sur les leçons des
élections municipales. Choix décourageant et qui

témoigne du mépris où la politique est tenue par une grande partie de ses exégètes professionnels. Le destin du souci du monde les préoccupe d'autant moins que, à quelques admirables exceptions près, ils ne croient pas en son existence. Ils ont roulé leur bosse. Ils connaissent la chanson. Ils sont trop intelligents pour ajouter foi aux belles paroles et pour chercher le vrai ailleurs que dans les arrière-pensées ou les petits calculs. La politique se réduit, sous leur regard acéré, au champ clos des ambitions et de la compétition pour le pouvoir. Et comme, mis à part le vote pour le renouvellement du Parlement européen qui n'intéresse pratiquement personne, il n'y a pas d'élections internationales, ces contempteurs du nationalisme réservent toute leur sagacité aux vicissitudes de la politique intérieure. Ce faisant, ils n'oublient pas le monde, mais ils ne le distinguent plus de la mondialisation. Qu'ils soient ou non intégrés dans des grands groupes industriels et multimédias, ces journalistes voient bien que les décisions fatidiques échappent aux gouvernants, ils sont aux premières loges pour constater le divorce de la politique et de la puissance. C'est *forts de cette faiblesse* que les plus impertinents convoquent les élus du peuple le sourire aux lèvres, qu'ils les rudoient, qu'ils les tutoient, qu'ils leur coupent la parole quand ça leur chante, qu'ils les félicitent quand ils les entendent penser comme eux, qu'ils leurs demandent s'ils partagent les tâches ménagères et s'ils s'occupent bien de leurs enfants, qu'ils les abandonnent à la vindicte des auditeurs interactifs et qu'ils prennent la mouche au moindre signe d'insubordination.

Inutile de les appeler à plus de retenue : ils sont persuadés, en criant haro sur le baudet, de s'inscrire dans la lignée des grands combats antitotalitaires, et de défendre leur liberté mais aussi la nôtre contre les dangereux coups de griffe ou les féroces coups de gueule du Roi Lion.

Lucienne Sinzelle — dite Nénette — est la fille d'un
ouvrier agricole de Malagar, la célèbre propriété de
François Mauriac. Des années d'enfance passées dans
ce domaine, elle vient de tirer un récit simple et
splendide : *Mon Malagar.*
La vie que décrit Nénette n'est pas rose : « Nous
avons emménagé à Malagar avec quelques hardes et
notre mobilier qu'une charrette suffisait à transporter.
Le logement composé de deux pièces n'avait pas d'eau
ni d'électricité [...] comme nous n'avions pas de salle
de bains, aucun endroit où nous isoler, chacun faisait
sa toilette comme il pouvait [...]. L'hiver, une haute
cheminée était le seul chauffage des deux pièces du
logement. Nous nous tenions tous devant le feu : les
parents, chacun à une extrémité, assis sur une chaise
basse, les enfants au centre assis sur un petit banc. Il
faisait si froid, nous étions si près de l'âtre que nos
jambes, comme brûlées, se marbraient de traces
brunes : dans le dos, par contre, nous étions gelés[1]. »
Quant aux repas, ils étaient composés, midi et soir,

1. L. Sinzelle, *Mon Malagar*, Gallimard, 2001, p. 22-24.

d'une soupe de légumes faite « avant sa journée[1] » par la mère de Nénette. La soupière était mise dans le lit des parents, sous l'édredon. Ce qui fait qu'au moment de manger la soupe était encore tiède. Et François Mauriac semblait ne rien percevoir de cette misère qu'il côtoyait à chaque séjour. D'où hier, à la télévision, la stupeur réprobatrice des protagonistes de *Bouillon de culture*. Comment un écrivain aussi sensible aux injustices a-t-il pu rester aussi indifférent à la condition de sa propre domesticité ? À cette question, Lucienne Sinzelle a répondu en disant, comme dans son livre, sa nostalgie de Malagar et de ces instants bénis où, avec son frère Lulu et avec Jean Mauriac, elle partait « à la chasse à n'importe quoi ». Elle a dit aussi que l'obligation de « faire doucement » pesait sur les trois enfants sans distinction. Jean Mauriac lui-même s'est employé à mettre en garde contre tout anachronisme : il a rappelé que Nénette et son frère (lequel, au demeurant, entretenait avec le grand homme des rapports privilégiés) vivaient comme la moyenne des paysans français d'avant-guerre. En vain. L'auteur de *Thérèse Desqueyroux* a été jugé coupable d'égoïsme professionnel et de cécité sociale. Il n'est certes pour rien, a dû reconnaître le Tribunal, dans l'événement atroce qui a brisé la vie de Lucienne Sinzelle : elle a été violée par son père alors qu'elle venait d'avoir douze ans. Mais, comme écrivait naguère Tzvetan Todorov : « Les artistes et les

---

1. *Ibid.*, p. 28.

écrivains n'échappent pas, comme par miracle, aux jugements moraux et politiques que nous portons sur les autres représentants de l'espèce humaine. La beauté de leurs œuvres ne leur procure aucune immunité morale. Si Shakespeare, miraculeusement revenu au monde, nous apprenait que son passe-temps favori était le viol des petites filles, nous ne devrions pas l'encourager dans cette voie sous prétexte qu'il pourrait écrire un autre *Roi Lear*. Le monde n'est pas fait pour aboutir à une œuvre d'art [1]. »

Aux yeux de ceux qui savent que Mauriac a failli et que Shakespeare aurait pu faillir, le monde est fait pour aboutir à l'éradication de la pédophilie, à la reconnaissance de l'autre comme *alter ego*, quels que soient sa couleur ou son sang, à l'égale représentation des hommes et des femmes dans la vie politique, à l'interdiction de la prostitution, à la permissivité sexuelle, au respect des homosexualités, au partage des tâches ménagères et à l'immersion des pères dans la réalité quotidienne des soins aux enfants. L'histoire est un long chemin broussailleux qui mène jusqu'à nous. L'homme des droits de l'homme se regarde, émerveillé, comme l'aboutissement de l'homme. Et il le fait savoir. Fier, à s'en tambouriner la poitrine, d'avoir vaincu le principe hiérarchique, imbu de sa ferveur antidiscriminatoire, ivre de sa tolérance aux différences, il instruit le procès pour intolérance de toutes les formes de vie et

---

1. T. Todorov, *Lettre internationale*, printemps 1989.

de pensée qui diffèrent des siennes. Sûr que rien d'humain ne lui est étranger, et qu'il est seul dans ce cas, il devient étranger à tout ce qui est humain. Au nom de son ouverture d'esprit et de cœur à l'altérité, il s'aime d'une passion exclusive : qui d'autre que lui combat l'exclusion sous tous ses aspects ? Personne et moins que quiconque le maître de Malagar, occupé à fourbir ses phrases dans une bulle de silence.

« La presse constitue un quatrième pouvoir [1] », écrivait Péguy en 1901. En 2001, ce pouvoir ne se contente pas de conduire les lecteurs, il veut aussi conduire les événements. Le mercredi 20 mai 2001, alors que la Kabylie était depuis douze jours à feu et à sang et que les gendarmes algériens tiraient à balles réelles sur les manifestants, le journal *Le Monde* choisissait de donner la préséance au livre d'un vieux général de brigade de l'armée française et de faire sa manchette sur « la France face à ses crimes en Algérie ».

Depuis cette date, ce qui est arrivé a pris le pas sur ce qui arrive et la presse s'est lancée, malgré l'accaparante actualité, dans une grande croisade de la mémoire. Habités par l'irréprochable conviction qu'un État doit savoir dénoncer ses propres atteintes aux droits de l'homme, s'il veut délivrer au monde un message d'humanité, des journalistes convient la nation à une douloureuse introspection. Mais il ne suffit pas de se montrer du doigt pour sortir de soi. Choisir le

---

1. C. Péguy, *De la raison*, in *Œuvres en prose*, I, Gallimard, « Bibliothèque de la Pléiade », 1987, p. 845.

repentir maintenant, c'est, sous prétexte de rompre avec la gestion apologétique de notre passé colonial, délaisser ou secondariser la situation faite, en cet instant même, aux Algériens par l'atroce conjonction d'un pouvoir oppressif et d'une révolte barbare ; c'est les abandonner à leur sort au nom du tort que nous leur avons fait ; c'est occuper la France à gratter ses plaies plutôt qu'à prendre sa part au destin du monde ; c'est combattre les ravages de la suffisance en fermant les fenêtres ; c'est, pour le dire d'une phrase, constituer l'autocritique en variante postnationale de l'auto-centrisme.

Il faut, en outre, que nos croisés de la mémoire soient eux-mêmes frappés d'amnésie pour prétendre, comme ils le font, violer un tabou et ouvrir un placard soigneusement cadenassé quand ils enfoncent avec entrain une porte grande ouverte depuis longtemps. Il y a belle lurette, en effet, que les professeurs d'histoire qui ont à traiter de la décolonisation et de la guerre d'Algérie évoquent et même soulignent les exactions de l'armée française. Ce passé n'est pas censuré, il est très fréquenté, au contraire, car, en France comme dans les autres démocraties européennes, la morale de l'honneur a cédé la place au point d'honneur de l'objectivité. On voulait autrefois se montrer digne des ancêtres quitte à occulter leur part d'ombre, on s'enorgueillit aujourd'hui de dénoncer leurs travers et de désenfouir leurs forfaits.

Il est vrai que le général Aussaresses n'y va pas par quatre chemins : « À partir du moment où une nation demande à son armée de combattre un ennemi qui utilise la terreur pour contraindre la population attentiste à le suivre et provoquer une terreur qui mobilisera en sa faveur l'opinion mondiale, il est impossible que cette nation n'ait pas recours à des moyens extrêmes[1]. » Et comme ni la prudence, ni le remords, ni l'hypocrisie n'arrêtent ce tortionnaire heureux, il relate son action avec une tranquillité répugnante mais qui devrait intéresser la mémoire. Seulement, les fouilleurs de placards ne sont pas curieux. L'intelligence des choses est le cadet de leurs soucis. Ils veulent pourfendre, non comprendre. Emplis d'une furieuse repentance, ils portent plainte contre l'irrepenti qui « avant de tourner la page » a souhaité que « la page soit lue et donc écrite[2] ». Ils intiment, ce faisant, le silence à tous ceux qui, dans le mauvais camp, ont mal agi et dont le témoignage pourrait augmenter notre connaissance de la guerre d'Algérie.

À quoi bon, d'ailleurs, vouloir se prémunir contre la tentation de la torture en tenant compte du fait qu'on peut être amené, un jour, à combattre un ennemi qui aura choisi, pour arriver à ses fins, la voie du terrorisme plutôt que celle de la guerre classique ou de l'insurrection ?

---

1. Général Aussaresses, *Services spéciaux Algérie, 1955-1957*, Perrin, 2001, p. 10.
2. *Ibid.*

La torture est une pratique inhumaine conçue et exécutée par les ennemis du genre humain, tranchent les ambassadeurs du Bien. Leur mission est donc très claire : Sus aux salauds ! À bas les assassins ! Montrons de quel bois nous nous chauffons aux nazis, aux colonialistes, aux impérialistes, aux cyniques dont notre histoire abonde ! Ouvrons la catégorie de crime contre l'humanité à toutes les turpitudes pour signifier notre refus de composer avec le Mal et pour détacher le siècle qui vient de son effroyable prédécesseur !

C'est ainsi que les guides spirituels de la démocratie pure convertissent l'avantage inestimable de vivre à l'abri des tempêtes en courage de regarder la vérité en face, et nous installent dans l'oubli du tragique alors même qu'ils se congratulent bruyamment de déférer aux injonctions du devoir de mémoire.

L'équivoque démocratique

Démocratie : ce maître mot de notre langue politique désigne à la fois un *régime* et un *processus*. Le régime démocratique affirme le pouvoir actuel des hommes sur leur vie sociale et sur les normes de leurs actions. Rien, en démocratie, ne va de soi ; rien ne vient d'en haut, nul acquis ne porte le sceau de l'éternel. Tout ce qui était soustrait par l'autorité à l'argumentation entre dans un débat sans garant ni terme. Tout ce qui touche aux affaires communes est mis en commun. Les immuables certitudes de la tradition sont dissoutes et remplacées par la réflexion collective. Dieu se tait et l'ancienneté ne fait plus preuve. Le pourparler prévaut là où sévissait la contrainte, et la délibération là où régnait le dogme. La pluralité n'est plus un handicap ou un travers, mais la donnée fondamentale de la politique. Doit être dit démocratique, en un mot, le régime qui n'en a jamais fini de s'interroger sur ses propres coutumes et qui « maintient ouverte la question de la bonne société : contrarie la formation des modèles qui fermeraient la société sur elle-même [1] ».

1. R. Legros, *L'Idée d'humanité*, Grasset, 1990, p. 26.

Mais la démocratie, dans son acception contemporaine, c'est aussi l'*Histoire en marche*, l'accomplissement progressif des droits de l'homme, le double développement de la liberté des individus et de l'égalité des conditions. Si l'inachèvement est constitutif du régime démocratique, le processus qui sait où il va et qu'il y va ne connaît jamais que des empêchements, des blocages ou des retards. Nous sommes tous démocrates aujourd'hui. Mais alors même qu'on croit se réconcilier avec le régime, après avoir répudié solennellement l'idée de son dépassement dans une forme supérieure, le processus prend subrepticement possession des lieux et l'avenir radieux maintient ainsi son emprise sur les âmes.

Tout fait débat, de nos jours. Mais tendez l'oreille : il n'y a plus de débat, il n'y a que des ringards qui, pour endiguer le grand flux libérateur, s'arc-boutent violemment et vainement à leurs préjugés ou à leurs privilèges. Prenez l'extension aux couples non mariés, sans distinction de sexe, de certains droits attachés au mariage par le Pacte civil de solidarité ; voyez la loi pour la parité, c'est-à-dire pour l'égale représentation des hommes et des femmes dans les lieux de pouvoir ; voyez la réforme du droit de la famille et l'abandon du divorce pour faute ; voyez encore la nouvelle loi sur les patronymes supprimant la transmission automatique du nom du père aux enfants ; voyez enfin la pétition lancée par l'association des parents et futurs parents gays et lesbiens contre le refus à l'adoption opposé à une femme vivant en couple homosexuel. Les partisans de ces mesures ne défendent jamais une opinion. Ils formulent une évidence, ils épousent le mouvement ou le précèdent, ils assurent le passage de l'ombre à la lumière. La démocratie n'étant pas pour eux une scène ou un espace, mais le déroulement de la vérité dans le temps, ils célèbrent ses avancées, s'impatientent de ses lenteurs et fustigent ses régressions dans la langue de l'incontestable.

En 1948, confronté à l'arrogance totalitaire, Camus définissait la démocratie comme le régime « qui ne peut être conçu, créé et soutenu que par des hommes qui savent qu'ils ne savent pas tout ». Et il ajoutait à l'adresse de tous les philosophes hégéliano-marxistes qui s'émerveillaient de voir la philosophie resplendir dans l'histoire : « Le résultat est que le démocrate est modeste. Il avoue une certaine part d'ignorance, il reconnaît le caractère en partie aventureux de son effort et que tout ne lui est pas donné. Et, à partir de cet aveu, il reconnaît qu'il a besoin de consulter les autres, de compléter ce qu'il sait par ce qu'ils savent[1]. »

La modestie, c'est le moins qu'on puisse dire, n'étouffe pas les porte-parole du processus. L'humilité n'est pas leur fort. Ils ignorent superbement la finitude. Ils croient avoir choisi la démocratie de Camus contre le marxisme de Sartre ; en fait — hymniques et logiques, panoramiques et catégoriques —, ils donnent

---

1. A. Camus, *Essais*, Gallimard, « Bibliothèque de la Pléiade », 1965, p. 1582.

des leçons d'histoire exactement comme Sartre à Camus.

1998 : « La droite face à la révolution du PACS ».

1999 : « Le PACS prêt pour l'an 2000 ».

2001 : « L'an I du PACS ».

Ces trois gros titres illustrent la coïncidence entre la fin d'un siècle et la fin d'un monde. Ils montrent l'aube qui se lève sur la société des individus et, au nom de la démocratie, ils font peser sur le débat démocratique un interdit sans appel. Dommage, car toutes ces mutations méritaient mieux qu'un « pas trop tôt ! » péremptoire. « Les fautes qui font le divorce dessinent en creux les devoirs qui font le mariage [1]... », écrivait naguère le doyen Carbonnier. Avec le remplacement du divorce pour faute par le divorce pour cause objective ou pour rupture irrémédiable, ce dessin est effacé. Quant au PACS, ce contrat qui peut être, unilatéralement et n'importe quand, dénoncé par un des partenaires, il redonne droit de cité à ce qui a été si longtemps un sujet d'horreur pour les sociétés occidentales : la répudiation sans compensation et sans protection — alors qu'on aurait pu trouver d'autres moyens de satisfaire les revendications des homosexuels, en réformant, par exemple, les droits de succession et la transmission des droits locatifs.

1. J. Carbonnier, *Essais sur les lois*, Répertoire du notariat Defrénois, 1979, p. 132.

Qu'est-ce à dire sinon que l'homme ne se définit plus par sa capacité à faire des promesses, mais par son droit discrétionnaire de reprendre, à tout moment, sa liberté ? L'engagement qui était, jusqu'à une date récente, la marque de l'autonomie apparaît maintenant comme un fardeau ou une entrave. Il est passé dans le camp des forces hétéronomes. Rien d'autre n'est moi en moi que mes envies, mes passions ou mes humeurs actuelles. Mon ancien moi et mes vieux serments n'ont pas plus de titre sur ma vie que Dieu ou mon père.

L'individu reste, certes, le même. Il conserve sa carte d'identité. Mais cette identité n'a plus de comptes à rendre. C'est une identité au fil de l'eau, une identité *libérée de l'ipséité*, déliée de la lourde charge du maintien de soi dans la fidélité à la parole donnée, maintenant que la norme identifiée au mouvement refuse non seulement de sanctionner, mais même d'enregistrer les manquements à cette parole.

Alors, bond en avant démocratique ou catastrophe anthropologique ? Ne prenons-nous pas, une fois encore, les vessies pour des lanternes et la consécration de la muflerie pour le triomphe des droits de l'homme ? Ne saluons-nous pas comme un progrès de la civilisation l'entrée de l'existence tout entière dans la sphère de la consommation ? On devrait, en tout cas, pouvoir se demander où l'*homme sans ipséité*, enclin et encouragé à confondre désir et droit, trouvera les ressources de la modération et du scrupule quand il s'apercevra que la terre épuisée ne suffit pas à la convoitise. Dans la démocratie ? Il est permis d'en douter quand on voit avec quel empressement l'humanité démocratique répond à l'appel de l'Histoire.

Paix envolée, guerre introuvable

Les dirigeants israéliens aimeraient croire qu'en refusant la *paix* de Camp David, l'Autorité palestinienne les a entraînés dans la *guerre*. C'est pourquoi ils ont riposté avec des chasseurs bombardiers F-16 à l'artisanale bombe humaine qui a fait six morts et plus de cent blessés, le vendredi 16 mai, devant un centre commercial de Netanya.

Peine perdue : aucune décision militaire, aucune riposte si foudroyante soit-elle, aucun tank, aucun hélicoptère, aucun avion de combat ne ramènera dans le giron rassurant de la guerre l'Intifada Al-Aqsa, cet affrontement sans champ de bataille et sans ennemi assignable. Pour la première fois de leur histoire, les Israéliens ne sont pas en mesure de nommer ce qui leur arrive. Et l'issue se dérobe en même temps que la désignation de l'événement : qui aujourd'hui aurait la *candeur* de reprendre à son compte la profession de foi *sceptique* opposée, en 1980, par le grand historien J. L. Talmon à l'exaltation messianique et sectaire de Menahem Begin, le Premier ministre d'alors ? « De nos jours, affirmait Talmon, le seul moyen d'aboutir à une coexistence entre les peuples est, bien que cela puisse

paraître ironique et décevant, de les séparer[1]. » La mise
en avant réitérée du droit au retour, l'affirmation qu'il
n'y a jamais eu de temple juif à Jérusalem et les attentats perpétrés en Israël même par les terroristes sui-
cidaires ont frappé d'irréalisme l'idée de compromis
territorial. Est-ce à dire que les habitants des implantations ont raison contre Talmon ? Non, ils continuent
d'avoir tort. Tort de réintroduire l'absolu dans la politique. Tort de considérer la Judée-Samarie comme un
bien patrimonial. Tort de céder au solipsisme biblique
et de s'enfermer dans la bulle du commandement
divin. Tort de plaquer sur leur situation historique,
donc contingente, l'antagonisme immuable du peuple
juif et des nations. Tort métaphysiquement, moralement aussi bien que politiquement de frapper la désin-
trication d'anathème et de penser qu'au bout de l'enfer
indistinct d'une violence innommable, la victoire les
attend.

---

1. J. L. Talmon, « La patrie en danger ». Lettre ouverte à M. M. Begin, *Le Débat*, n° 11, avril 1981, Gallimard, p. 54.

Zola ou Robespierre ? 26 *mai*

« Qui accuseriez-vous aujourd'hui ? » demandait, au début de l'année 1998, un hebdomadaire français désireux de commémorer le célèbre *J'accuse* d'Émile Zola en exhumant cet article du tombeau que lui avait ménagé l'Histoire et en le conjuguant au présent. On put lire ainsi, sous la plume de quelques grandes figures triées sur le volet, des réquisitoires véhéments contre les beaux salauds qui persistent à infester la terre.

Et la flamme, ranimée pour l'occasion, ne s'est pas éteinte. Au contraire : le verbe choisi par Zola, pour saisir l'opinion et renverser l'ordre des choses, a fait ces six dernières semaines, quatre fois, la une du journal *Le Monde*.

Jeudi 2 avril 2001 : un nouveau témoin accuse M. Chirac.

Vendredi 27 avril 2001 : le juge Halphen accuse Jacques Chirac.

Vendredi 18 mai 2001 : vache folle : le rapport qui accuse les ministres.

Mardi 22 mai 2001 : trente députés accusent Jacques Chirac.

Mais il y a une différence de taille entre Zola et sa postérité incendiaire. L'auteur de *J'accuse* n'était pas un procureur : avant de désigner des coupables, il défendait l'innocent envoyé à l'île du Diable pour un crime qu'il n'avait pas commis. En intervenant pour que l'affaire d'un seul devînt l'affaire de tous, il ne donnait pas à un problème la forme *a priori* du procès, il prenait le monde à témoin d'une machination judiciaire. Ceux qui se réclament de lui, en revanche, ont instauré un Tribunal de salut public. Ils n'en appellent pas au forum d'une décision inique rendue dans un prétoire, ils emplissent le forum du seul vacarme de l'accusation. Ils pratiquent la pénalisation du politique et non la politisation d'une affaire pénale. Quand ils croient se référer à l'épopée du dreyfusisme, ils renouent avec la logique de la terreur, et quand ils disent « Zola », c'est « Robespierre » qu'il faut entendre.

Pour eux comme pour l'Incorruptible, une lutte gigantesque qui décidera des destinées du monde met au prise les deux génies contraires du crime et de la vertu. Ils fustigent les frasques ou les combines de la noblesse d'État avec la passion que l'épurateur jacobin mettait à combattre l'ancienne société vile, intrigante et cupide. Méprisant l'exactitude si chère aux dreyfusards, ils amalgament dans le fourre-tout de la corruption des pratiques aussi dissemblables que l'enrichissement personnel, le financement des partis politiques par les marchés publics, les emplois fictifs pour les militants ou l'obligation de verser des pots-de-vin pour obtenir des concessions pétrolifères. Et c'est sans le moindre scrupule juridique qu'ils invoquent l'exemple des procédures engagées aux Philippines, au Pérou ou aux États-Unis contre des Présidents qui, dans l'exercice de leurs fonctions, ont pillé les caisses de l'État ou espionné des adversaires, pour réclamer la comparution de l'actuel président français devant la Haute Cour, alors que cette juridiction exceptionnelle ne peut être saisie qu'en cas de haute trahison, et qu'ils accusent Jacques Chirac de prise illégale d'intérêt et d'abus de biens sociaux *à l'époque où il était maire de Paris.*

L'époque est donc révolue où, des maires aux chefs d'État, les hommes politiques vivaient dans l'impunité. Surveillés en permanence par des journalistes et des juges qui veulent à la fois tout savoir sur eux et ne pas entendre parler de l'impureté du monde où les plonge leur action, ils vivent maintenant dans l'angoisse. Malgré sa belle apparence égalitaire, cette révolution n'est ni une percée démocratique ni un progrès moral. Ce « paix aux chaumières, guerre aux châteaux » qui a chassé les hommes politiques du paradis a fait d'eux des criminels en sursis et non des justiciables comme les autres. Régis de Castelnau a raison d'écrire qu'ils sont sous la pression d'une catastrophe judiciaire qui peut surgir n'importe quand et de n'importe où[1].

Et, comme de surcroît, plus rien n'est inviolé, plus rien n'est indemne de l'homme, un champ illimité

---

1. Voir R. de Castelnau, *Pour l'amnistie*, Stock, 2001.

s'ouvre à l'imputation. Il n'y a pas d'événements, pas de coups du sort, pas d'imprévus, pas de tragédies contre lesquels on ne puisse porter plainte. La menace de catastrophe judiciaire, autrement dit, est encore aggravée par la *judiciarisation de toutes les catastrophes.* « La frontière entre "État" et "nature" a été abolie, constate Hans Jonas : la cité des hommes, jadis une enclave à l'intérieur du monde non humain, se répand sur la totalité de la nature terrestre et usurpe sa place. Le naturel a été englouti par la sphère de l'artificiel[1]. » Et qui doit répondre des pannes ou des accidents de cette création ? Qui paie pour les ratés du système ? Les représentants de l'État *total* ou de la cité *infinie.*

L'humanité moderne avait misé sur sa capacité de rendre raison de toute chose et de constituer un technocosme délivré des obscurités ou des aléas de l'existence, pour accéder au bonheur. Et la voici confrontée à cet insoutenable paradoxe : plus il y a de manipulations, plus il y a de chaos. Le dérèglement croît avec le contrôle, et l'incertitude avec la rationalisation. L'espoir de transformer la réalité en œuvre de l'homme laisse place à l'implication de l'homme, ébloui par les Lumières, dans les menaces inédites et effrayantes qui ne cessent de l'assaillir. Ainsi, c'est bien parce que le calcul a pris possession du métier d'agriculteur et congédié l'appréhension spontanée du réel que les vaches ont été comme vidées de leur *vachéité* et qu'on a nourri

---

1. H. Jonas, *Le Principe responsabilité*, Cerf, 1990, p. 29.

ces pures fonctions avec des farines animales. Rançon de cette mainmise humaine sur le monde non humain : la transmission à l'homme de la maladie de la vache folle.

Mais c'est une humanité envoûtée par le principe de raison qui s'efforce de remédier aujourd'hui aux ravages du calcul absolu. La démesure technique se prolonge en fureur pénale. La computation généralisée trouve son équivalent judiciaire dans l'accusation débridée. Puisqu'il y a une raison à tout, à tout il y a un coupable. L'inquiétude d'aujourd'hui est placée comme l'optimisme de naguère sous le signe du *Nihil est sine ratione*. L'esprit du procès prend le relais de l'esprit du progrès, la promesse cartésienne vire au cauchemar kafkaïen et comme, selon la profonde remarque d'Odo Marquard, « on échappe au tribunal en le devenant[1] », les meilleurs étudiants de tous les pays de la terre délaissent les voies qui mènent à la politique pour celles, royales, du journalisme, du barreau ou de la magistrature.

---

1. O. Marquard, « L'Homme accusé et l'homme disculpé », in *Critique*, octobre 1981, p. 1035.

Le gel pour cheveux a-t-il
des effets secondaires ? *28 mai*

Évoquant dans son avant-dernier roman, *The Human Stain*, l'Amérique de 1998 et sa furieuse volonté d'en savoir toujours plus sur les attouchements entre un président dans la force de l'âge et une stagiaire âgée de vingt et un ans, Philip Roth raconte qu'il a fait un jour le rêve d'emballer la Maison-Blanche à la manière de Christo et d'inscrire sur l'immense housse de papier : un être humain vit ici !

Humain, en effet, est l'être qui peut fermer la porte derrière lui. Une vie n'est humaine qu'à condition de dérober une part d'elle-même à la lumière et de disposer d'un refuge contre les regards indiscrets. De ce fait, la société qui dépouille les détenteurs du pouvoir du droit au secret de la vie privée n'est pas moins répugnante que le pouvoir qui agit ainsi avec certains membres de la société. Certes, c'est seulement dans un régime démocratique qu'un chef d'État peut faire les frais de la divulgation de l'intimité au lieu d'en être l'unique bénéficiaire, mais qu'est-ce à dire sinon que la démocratie n'est pas toujours l'amie de l'humain et qu'il faut compter, parmi ses virtualités épouvantables, le *totalitarisme social* ou transfert au peuple des prérogatives de Big Brother ?

1998, c'est aussi l'année où est sorti le film de Peter Weir : *The Truman Show.* Son héros, Truman Burbank, est, depuis sa naissance et à son insu, la vedette d'un feuilleton planétaire diffusé vingt-quatre heures sur vingt-quatre grâce à cinq mille caméras cachées dans le décor de Seahaven, une petite ville idyllique créée de toutes pièces pour les besoins de l'émission. Le public mondial voit ainsi son bébé grandir, devenir un homme, affronter les épreuves et les souffrances que nous affrontons tous, mais dans un environnement contrôlé. Le contrôle n'est pas parfait cependant, la machine se grippe, Truman finit par pressentir la vraie nature de son monde. Il fait donc tout pour en sortir et, après quelques tentatives infructueuses, il réussit : un être humain se révolte victorieusement contre l'image.

Cette révolte reste-t-elle à l'ordre du jour ? L'utopie noire de Peter Weir n'est-elle pas trop rose encore ? Le rappel de Philip Roth n'est-il pas frappé d'obsolescence par le désir irrépressible et innombrable d'*entrer dans le show* pour vivre en pleine lumière comme Bill, comme Monica, comme Truman ? Trente-huit mille jeunes célibataires, entre vingt et trente ans, se sont portés candidats à *Loft Story*, la première émission de téléréalité française. Après enquêtes, entretiens et tests « médico-psychologiques », onze d'entre eux — six hommes et cinq femmes — ont été retenus et, depuis le 26 avril, ils sont filmés jour et nuit dans un appartement spécialement construit à La Plaine-Saint-Denis, en banlieue parisienne. Le but du jeu est de former un couple, après l'élimination progressive des autres participants par un vote conjoint des téléspectateurs et des concurrents. J'apprends aussi dans le journal que le jeune homme et la jeune femme qui resteront en lice gagneront une maison d'une valeur de trois millions de francs, à la condition expresse d'y vivre ensemble six mois, toujours sous l'œil inquisitorial de la télévision.

Exhibitionnisme est le terme qui vient d'abord à l'esprit pour qualifier les performances d'un nouveau type qui envahissent les écrans. Mais à bien y réfléchir, ce mot ne convient pas. Il a quelque chose d'anachronique, d'antédiluvien même. Trop voluptueux pour être pertinent, il témoigne du monde d'avant la catastrophe. Y céder, ce serait rabattre sur la bonne vieille luxure et ses perversions canoniques la glaciale nouveauté d'un phalanstère bourré de micros, truffé de caméras et noyé sous les projecteurs. Aziz, Loana, Kenza, Jean-Édouard et les autres ne sont pas exhibitionnistes. L'idée ne les effleure pas de convier un spectateur imaginaire ou fortuit à leurs ébats intimes en laissant négligemment les volets ouverts. Ils ont autre chose à faire qu'à jouer de l'antagonisme apparent et de la connivence secrète entre la pudeur et l'impudeur. À la différence des téléphoneurs publics, ils ont assurément conscience d'être observés et ils prennent du plaisir à cette situation. Mais le fantasme qui les habite est moins érotique que narcissique : ils rêvent à la folie de sortir de l'anonymat. Ils cherchent éperdument leur salut dans le statut de *stars*. Bref, ils veulent être *célèbres*. Et qu'est-ce que la célébrité à l'heure de l'écran total et de l'anti-élitisme généralisé ? C'est le lustre sans les mérites, l'affichage sans les actions, l'éclat sans les œuvres. C'est la gloire enfin découplée de l'excellence. C'est passer du triste état de spectateur à la jubilation d'être vu. C'est se montrer au monde, tel quel, comme on est, authentique, informe, indemne de toute cérémonie et de toute littérature. C'est s'exprimer dans l'idiome sommaire et viscéral de l'adolescence. C'est fuir la nuance pour l'intensité, au nom du naturel. C'est meubler le temps des autres avec ses peines de cœur et ses points noirs. C'est tenir l'assistance en haleine à coups de karaokés joyeux, de borborygmes pensifs ou de sanglots sincères. C'est être au centre de l'attention générale pour ce qu'on a de plus spontané, donc de plus trivial.

Le Panopticon était un cauchemar. C'est devenu le conte de fées d'une humanité délestée par la démocratie triomphante du culte des grands morts et divisée par le règne de l'image entre la foule indistincte et l'Olympe illuminée des vivants visibles.

P.-S. : C'est à un producteur néerlandais, John Le Moll, que l'on doit l'idée géniale de combiner dans un même programme télévisé le rêve totalitaire d'un regard omniprésent et l'aspiration narcissique à être regardé par tous. Vingt-sept pays lui ayant acheté sa trouvaille orwellienne et attrayante, Le Moll est maintenant l'un des hommes les plus riches de son pays. Cette *success story* devrait faire réfléchir les militants internationalistes ou souverainistes qui voient dans la mondialisation en marche l'œuvre démoniaque de l'empire américain. Dans cette affaire, c'est l'Europe qui a montré la voie au reste du monde, États-Unis compris. Nos problèmes les plus graves, autrement dit, ne sont pas importés. Le Mal ne vient pas toujours d'en haut ou du dehors. L'exploitation, l'aliénation, l'oppression, l'impérialisme — ces grandes catégories de la tradition politique moderne — *extériorisent* à bon compte toute la laideur ou la bêtise de la vie. Elles mobilisent les plus généreux d'entre nous, mais, en les polarisant sur le pouvoir et ses ruses, elles leur font oublier que notre identité, notre société, notre souveraineté, notre humanité même sont parties prenantes du mouvement qui nous emporte. Ainsi continue-t-on à vivre dans l'illusion qu'il suffit, pour arrêter les frais, d'avoir la peau du coupable.

C'est par le goût des autres que l'âge contemporain aime à se distinguer des humanités antérieures. Le héros philosophique de notre temps n'est plus l'*ego pensant* parti à la conquête du monde et qui réduit l'extériorité en lui imposant souverainement sa loi, mais l'*alter ego*, à la fois identique et différent, semblable et irréductible. L'accent positif que la modernité mettait sur l'assimilation, l'actualité le met sur la reconnaissance. Notre temps a pour finalité ultime l'exclusion de l'exclusion et pour ennemi intime le racisme sous toutes ses formes, c'est-à-dire aussi bien le *déni d'humanité* opposé à l'étranger que l'humanisation de l'étranger par le *déni de son identité* et de ses coutumes.

Preuve que le racisme a perdu toute légitimité : quand débat il y a de nos jours, c'est entre antiracistes qu'il fait rage. Ainsi, quand Mouloud Aounit, le secrétaire général du Mouvement contre le racisme et pour l'amitié entre les peuples, s'inquiète de voir que les premiers éliminés de *Loft Story* sont Aziz et Kenza, deux enfants issus de l'émigration[1], le sociologue Azouz

---

1. M. Aounit, « Et la dignité bordel ! », *Libération*, 25.05.2001.

Begag constate que cette éviction s'est faite naturellement, c'est-à-dire sur des critères où l'origine n'avait
aucune part. Il observe aussi que les perdants sont
sortis sous les acclamations de la foule. Refusant enfin
de donner statut à l'injure « sale Arabe » que Mouloud
Aounit reproche violemment à la chaîne qui diffuse ce
programme d'avoir laissé passer alors qu'elle a les
moyens techniques de filtrage, il analyse l'expulsion
d'Aziz du loft comme « un tournant dans l'histoire de
l'intégration des Maghrébins en France », au même
titre que les deux coups de tête magistraux de Zidane
lors de la finale de juillet 1998 contre le Brésil. Et il
conclut euphoriquement : « Diantre ! *Loft Story* ne
met-elle pas en œuvre en direct les principes de l'intégration républicaine tels que définis par la Révolution
française ? À l'évidence si[1]. »

Intégration par le bas, précise Azouz Begag, dès le
titre de son article. La formule m'a évoqué, par anti-
phrases, *Le Premier Homme,* de Camus, et ce qui est dit,
dans ce livre anachronique et admirable, de la « poésie
de l'école ». Un mot revient trois fois sous la plume de
Camus pour justifier l'insolite appariement de l'émotion et de l'institution : le mot « exotisme ». Exotisme
des œuvres lues à voix haute par le maître, comme *Les
Croix de bois* de Dorgelès ; exotisme du monde présenté
à des enfants jugés dignes de le découvrir ; et pour les
petits Algérois « qui ne connaissaient que le sirocco, la

---

1. A. Begag, « L'intégration par le bas », *Le Monde,* 19.05.2001.

poussière, les averses prodigieuses et brèves, le sable des plages et la mer en flammes sous le soleil[1] », exotisme de la France et « des récits pour eux mythiques où des enfants à bonnet et cache-nez de laine, les pieds chaussés de sabots, rentraient chez eux dans le froid glacé en traînant des fagots sur des chemins couverts de neige, jusqu'à ce qu'ils aperçoivent le toit enneigé de la maison où la cheminée qui fumait leur faisait savoir que la soupe au pois cuisait dans l'âtre[2] ».

Il y avait entre l'école et la vie familière un écart *qui* comblait l'imagination ou la curiosité de l'élève Camus et *que* s'acharnent maintenant à combler les réformes successives de l'école pour lutter contre l'ennui toujours plus agressif des élèves. De nos jours, en effet, l'étrangeté impatiente, l'exotisme exaspère. Et cette allergie au dépaysement trouve dans ce qu'on appelle la téléréalité son expression la plus accomplie.

La dernière trouvaille de la vidéosphère sonne le glas du spectacle et donne raison à Régis Debray contre Guy Debord : « Tout ce qui avait été éloigné dans une représentation et par la représentation doit être désormais vécu en direct. » J'ajouterais : tout ce qui appartient au royaume des apparences est désormais soumis aux critères de la spontanéité, de l'authenticité, de la naturalité. On parle, à l'image, à la maison, au collège, au bureau, la même langue avachie, désertée par l'élégance, c'est-à-dire par le souci de l'autre. La parure

1. A. Camus, *Le Premier Homme*, Gallimard, 1994, p. 136, 137.
2. *Ibid.*, p. 137.

était une dédicace, elle est devenue un semblant. L'être se déshabille, mais ce n'est pas pour séduire, c'est juste pour se mettre à l'aise. *La tenue n'est plus de mise.* Dans le miroir de l'écran, la vie peut enfin se regarder comme elle est, telle quelle, sans apprêt ni détour, sans carcan syntaxique ni contrainte de mise en scène. La jeunesse notamment est exemptée du dur devoir de sortir d'elle-même et d'aller voir ailleurs si la vérité y est. L'épreuve de l'étranger lui est épargnée : elle peut s'éclater entre les quatre murs de son univers, à condition, bien sûr, que nulle classe sociale n'en soit exclue et que toutes les couleurs de l'arc-en-ciel y soient présentes.

Métissée comme l'équipe de France de football, la vie s'applaudit donc de son antiracisme au moment même où elle ferme le pont-levis qui la reliait au monde et elle présente comme une victoire du bas sur le haut, c'est-à-dire du peuple dans sa diversité et sur une élite rétrograde, normative et monochrome, l'aversion pour l'altérité dont la culture est porteuse. C'est par l'évanouissement des intervalles, par l'abolition technique et symbolique de toutes les distances, que l'âge contemporain se distingue aussi de tous les passés. Et c'est bercée par l'illusion de faire droit aux différences que la vie s'y abîme, sans vergogne, dans la jouissance de sa banalité bigarrée.

Les vieux cons
dans le vacarme des fêtes   *5 juin*

Le 8 décembre 1984, deux cent mille jeunes en
pétard descendirent dans les rues de Paris pour protester contre les trente jours de silence infligés à leur
station de radio préférée : NRJ.
Un peu moins de deux ans auparavant — le 29
juillet 1982 —, le gouvernement socialiste avait mis
fin au monopole de programmation par une loi
dont le premier article stipulait : « La communication audiovisuelle est libre. » Cette liberté, cependant, avait un cadre que NRJ débordait avec une
impudence tranquille pour installer sa suprématie.
Comme l'écrit Jean-Noël Jeanneney, qui était à
l'époque président de Radio France, « les limites
techniques (cinq cents watts) avaient été trop chi-
chement prévues à l'origine, mais les cent kilowatts
ou plus dont NRJ accablait la région parisienne sor-
taient tout à fait de l'épure [1] ». Submergée de plaintes
émanant des services de sécurité de la capitale
(pompiers, Samu, police secours), des aéroports et
des antennes dont les émissions étaient, dans cer-

---

1. J.-N. Jeanneney, *Échec à Panurge, l'audiovisuel public au service de la différence*, Seuil, 1986, p. 18.

tains quartiers de Paris, rendues inaudibles par la violence de « la plus belle des radios », la Haute Autorité de l'audiovisuel avait décidé de sévir, après avoir multiplié sans effet les avertissements et les mises en garde.

« Ne tuez pas la liberté, sauvez NRJ ! » répliquèrent les manifestants, et, le lendemain du défilé organisé par l'agence de publicité de Bonneville-Orlandini, une lycéenne en colère écrivit au journal *Le Matin* : « Je pense que les personnes qui veulent interdire cette radio, notre radio, celle des jeunes, veulent détruire une partie de notre culture. Si NRJ n'existe plus, qui allons-nous écouter ? Oui, bien sûr, il reste d'autres radios, mais la musique qu'elle nous propose est-elle d'une qualité aussi bonne que celle de NRJ ? Question difficile à résoudre alors que tout le monde autour de nous ne parle que de NRJ depuis des années. Qu'allez-vous nous mettre comme radio à présent ? Nous voulons des radios pour nous, nous avons besoin et chacun a besoin d'écouter sa propre musique. Pourquoi supprimer NRJ alors que nous l'écoutons et l'apprécions à longueur de journée ? Pourquoi les jeunes n'ont pas le droit d'avoir leur radio et leur musique sans que personne ne vienne les déranger ? Avez-vous pensé aux jeunes, vous qui la supprimez[1] ? »

À cette question angoissée, le Premier ministre —

_____
1. *Le Matin,* 13.12.1984.

Laurent Fabius — répondit en donnant instruction de suspendre toute intervention policière pour faire respecter la décision de la Haute Autorité. La sanction ne fut donc pas appliquée. NRJ avait gagné. Le gouvernement pensait aux jeunes.

La manifestation du 8 décembre 1984 sera, selon toute vraisemblance, jugée trop anodine pour figurer dans les livres d'histoire. Or l'événement n'est pas anodin, il est épochal. Il y a un avant et un après le 8 décembre 1984. C'est même pour avoir négligé cette césure décisive que le gouvernement vient de se mettre à nouveau dans un très mauvais cas. Daniel Vaillant, l'actuel ministre de l'Intérieur, a décidé, en effet, de réglementer, en les soumettant à une autorisation préalable, les *rave parties*, ces fêtes clandestines et techno-musicales qui peuvent rassembler, sous la lune, jusqu'à dix mille participants. Il soutint donc, sans état d'âme, l'amendement au projet de loi sur la sécurité quotidienne déposé par un député de droite et ainsi libellé : « En cas d'une manifestation non autorisée de grande envergure sur un territoire privé ou public pouvant représenter un danger pour la tranquillité des riverains, l'agent de la police judiciaire peut ordonner la saisie du matériel. »

Mais, cette fois, ce ne sont plus seulement les lycéens qui, avec le concours des publicitaires, opposent à la répression « la douce folie d'être jeunes et libres de l'être[1] », c'est la presse démocratique unanimement scandalisée et, des écologistes à la gauche de gauche, en passant par les communistes en pleine cure de jouvence et par les socialistes battant leur coulpe pour avoir voté, en première instance, l'amendement « liberticide », ce sont tous les partis du mouvement.

La manifestation de 1984 est donc sur le point de faire jurisprudence : sous la pression de la France qui bouge, le *briseur de raves* va devoir céder ou, au moins, composer avec la jeunesse qui danse et le pays réconcilié pourra bientôt fêter dans l'euphorie le triomphe de la fête sur les vieux cons, nostalgiques de l'ordre moral. Comme si c'était la même chose d'affirmer, contre l'idéal ascétique, l'innocence des plaisirs de la chair, et de se déverser extatiquement dans le monde, d'y répandre son tumulte sans plus d'égard pour les champs saccagés par les voitures, les canettes de bière ou les papiers gras que pour les oreilles environnantes bombardées par les décibels. Et comme si les droits de l'homme, après avoir posé des limites à l'emprise du pouvoir sur la vie, avaient désormais pour vocation de combattre les limites mises par le droit à l'impérialisme de la volonté, au déchaînement somnambulique de l'énergie vitale.

On a longtemps célébré, sous le nom de civilisation, l'art de la discrétion, l'éveil des êtres au scrupule d'être, ou, pour le dire en termes contempo-

---

1. P. Georges, « Interdits de confort », *Le Monde*, 31.05.2001.

rains, le souci de ne pas émettre trop fort. Depuis le 8 décembre 1984, cette intimidation de la liberté par l'altérité ne relève plus du savoir-vivre, mais de la haine de la vie et de la guerre contre les jeunes.

La maman est l'avenir de l'homme 17 juin

Il aura donc fallu attendre la disparition des monopoles et l'accession des citoyens, sans distinction de classe ou de statut, au forum mondial du Web, pour que nous vivions heureux, sous la monarchie absolue de la vérité définitive. C'est au moment où la technique libère le discours des procédures de contrôle, de contrainte et de raréfaction qui pesaient sur lui qu'on dit partout la même chose. L'émergence du parti unique coïncide avec l'apothéose numérique du droit à la parole. Depuis la fin des grands combats idéologiques, en effet, la dynamique du Bien mobilise les énergies et recueille tous les suffrages. La révolution démocratique se célèbre d'une seule voix comme le montre l'assentiment donné par les experts, les journalistes et les auditeurs interactifs à la récente décision du gouvernement français d'instaurer un congé de paternité de deux semaines.

La France comble ainsi une partie de son retard sur la Suède, ce pays d'avant-garde où les luttes féministes ont changé la société et où les hommes disposent, depuis plusieurs années, de quarante jours de congé de paternité, ainsi que du droit d'y ajouter un congé parental d'un an pendant lequel ils perçoivent quatre-vingts pour cent de leur salaire. Il est vrai que ces mesures généreuses n'ont pas encore eu l'effet escompté et que les bénéficiaires de l'innovation se font bizarrement tirer l'oreille. Au nord de l'Europe aussi, le progrès *patine* : « En dépit des incitations financières et de l'évolution des comportements, les femmes restent beaucoup plus nombreuses que les hommes à assumer provisoirement le rôle de parent au foyer [1]. » Diagnostic des sociologues : les vieilles représentations sociales ont la vie dure. Les schémas anciens ne s'extirpent pas en un jour. Même les admirables Scandinaves, partis en éclaireurs sur le chemin de l'égalité, continuent, malgré les découvertes des chercheurs, à prendre leur héritage culturel pour un fait de nature et ils s'obstinent à déduire la différence des fonctions de la différence des sexes, alors que la démocratie conclut de l'identité des personnes à la réversibilité des rôles.

Que faire de ces récalcitrants ? Comment traiter ces vestiges, ces fossiles, ces reliques de la famille patriarcale sourds encore à la bonne nouvelle du temps partagé ? La démocratie est bonne fille.

Ayant gagné la bataille, elle se penche miséricordieusement sur les vaincus, elle tend la main aux survivants de l'Atlantide et s'efforce, par une patiente rééducation, de les soustraire à l'inhumanité où les plonge encore la force de l'habitude. Il faudra, pour cette opé-

1. B. Lévy, *Le Monde*, 10-11.06.2001.

ration de longue haleine, mettre à l'index ou en tout cas déconstruire massivement une littérature allergique au message de l'indifférenciation, enrôler les téléfilms au service de la vie nouvelle, refondre les programmes scolaires et remplacer Perrault ou Andersen par des contes pour enfants militants.

Le jeu en vaut très largement la chandelle. N'est-ce pas l'assignation des hommes à la virilité qui voue l'humanité à la violence ? Plus les pères pouponneront, moins ils auront envie de faire la guerre. À chaque nouveau papa, la violence reculera. La cité domestique pacifiera la cité politique : c'en sera fini des caïds et des rapports de domination lorsque le chef de famille aura, dans tous les ménages, cédé la place à une figure paternelle résolument tournée vers l'enfance. Les couches et les biberons réussiront là où la musique a échoué. Le miracle que le monde a vainement attendu de la lyre d'Orphée sera réalisé par les vagissements de bébé : on verra les mœurs s'adoucir et la tendresse se répandre sur notre terre recrue d'épreuves et d'iniquités quand les hommes plongeront à égalité avec les femmes dans la réalité quotidienne des soins aux enfants. Aragon voyait juste, mais flou : ce n'est pas la femme en général, c'est la maman qui est l'avenir de l'homme.

Le 31 mai dernier, Ysilda, douze ans, l'une des huit cents élèves du lycée de Courson (près de Narbonne), s'est vue notifier une exclusion de huit jours par la principale de l'établissement pour « non-respect des règles élémentaires concernant la tenue physique des élèves et des enseignants qui doit être décente ». L'administration reprochait à l'adolescente de porter un *piercing* au-dessus de la lèvre inférieure et de s'être décoloré les cheveux couleur fuchsia.

Le parti unique a jugé cette sanction tellement disproportionnée, tellement délirante, tellement psychorigide, qu'il l'a promue à la dignité d'événement national : « On se calme, madame la Principale ! » ont dit les journalistes goguenards et j'ai compris à ce ricanement que nulle séparation n'allait pouvoir résister durablement *au devenir-maman du monde*.

Le passé hoquette encore, mais la mère d'Ysilda, qui crie à la discrimination avec d'autant plus de véhémence qu'elle arbore la même couleur de cheveux que sa fille, ne devrait pas se faire trop de bile. La *rééducation* de l'école est engagée et l'identité culturelle aura bientôt raison des partages séculaires entre le public et le privé, l'élève et l'enfant, le prénom et le nom de famille, le dedans et le dehors, le monastère éducatif et le tissu social. *Les murs n'en ont plus pour longtemps.* Nous habiterons à l'avenir un espace d'un seul tenant. Toutes distinctions abolies, on voyagera du pareil au même : la classe sera une métafamille et la relation d'enseignement une variété de maternage.

D'ores et déjà, dans les films publicitaires qu'il a produits pour valoriser auprès des étudiants le métier de professeur, le ministère de l'Éducation nationale ne se contente pas d'éluder la présence physique des enfants ou des adolescents — lutte contre la pédophilie oblige —, il gomme le goût de la culture et occulte l'austère matérialité de l'institution pour mieux se concentrer sur le phénomène exaltant de la *bonté heureuse*. Dans le premier film, un homme d'une quarantaine d'années court dans la forêt en tenue de jogging. Comme souvent dans ces moments-là, il est perdu dans ses pensées et son visage mime une scène qu'il a dû vivre très récemment. Il semble être en pleine forme et surtout déborder d'enthousiasme tandis qu'il avale les obstacles et que rien ne semble pouvoir l'arrêter. À un moment, il arrive à la croisée des chemins. Il s'arrête, regarde dans toutes les directions. On comprend qu'il s'est un peu égaré. Voix off : « Ça l'a vraiment touché, ce coup de fil, c'était l'un de ses anciens élèves en chaudronnerie qui l'appelait, il venait d'entrer dans l'aérospatiale. Mine de rien, c'était un peu grâce à lui. »

Le deuxième film montre deux jeunes femmes dans une voiture qui roulent sous la pluie. Celle qui conduit est lancée dans un bavardage ininterrompu à tel point que, lorsque la pluie cesse, elle ne songe à aucun moment à arrêter les essuie-glaces qui couinent désagréablement. Voix off : « Hier, en travaux pratiques de physique, elle est restée pendant tout le cours avec un élève un peu à la traîne, eh bien, ça a suffi pour qu'il s'accroche. C'est aussi simple que ça, il avait juste besoin qu'on le mette en confiance. »

Le troisième film, enfin, met en scène un jeune homme dans sa cuisine : il a mis la musique très fort et s'est lancé dans des préparatifs culinaires à grande échelle. On comprend qu'il attend des invités. On le voit hachant, épluchant, touillant, tout cela en rythme et presque en dansant. Voix off : « Ce n'est peut-être pas grand-chose, mais ça lui a fait vraiment plaisir. Il a enfin réussi à faire lire au petit Antoine ce poème de Prévert et sans aucune hésitation [1]. »

Professeurs : et si, au lieu de stresser la petite Ysilda avec un règlement archaïque, draconien et impersonnel, vous étiez une maman sociale aussi dévouée que branchée, aussi attentionnée que tendance ?

---

1. Campagne « Professeurs, et si l'avenir c'était vous ? », mercredi 16 mai 2001, ministère de l'Éducation nationale.

L'historien du xxiie ou du xxiiie siècle qui s'intéres-
sera à notre temps consultera inévitablement les journaux. S'il s'arrête à la date du 17 juin 2001, il verra que
Le Monde a consacré sa une à « Ces jeunes qui défendent le droit à la fête ». Il conclura qu'on ne devait pas
rigoler tous les jours en 2001 quand on appartenait à la
tranche maudite des quinze/vingt-quatre ans.

Je jette cette bouteille dans l'océan de l'archive pour
détromper l'improbable membre des générations futures
qui la découvrira sur son écran et pour dire à ce lecteur
aléatoire que, dans la période reculée où il m'a été
donné de vivre, la jeunesse n'était pas seulement un âge
de la vie, mais sa valeur suprême, et que le droit le plus
difficile à défendre était alors celui d'échapper à la fête.
Il y avait fête de tout, en effet, et fête tout le temps.
Comme l'écrivait Philippe Muray, l'un des rares mauvais coucheurs de cette époque hilare, rien ne pouvait
être glorifié, affirmé ou même apparaître qu'à travers
les fastes de la fête. *L'Homo festivus* régnait sur le jour et
sur la nuit, sur la semaine et sur le dimanche, sur la
poésie et sur la prose, sur la charité et sur la monnaie,
sur les pavés et sur la plage, sur les villes et sur les cam-

pagnes, sur la religion majoritaire et sur les minorités sexuelles, à l'école et dans les hôpitaux, sur la myopathie et sur le cancer, dans les manifestations politiques et sur les faire-part de mariage ou de naissance. Avec son « *Do it yourself and make some fucking noise !* », le « teufeur » ou adepte des *free parties* ne défendait pas la fête contre la répression sénile des adultes et de leurs édiles, il exigeait de pouvoir fracasser le silence où et quand bon lui semblait, sans être jamais inquiété par le « système ». Imbu de sa culture *underground*, il prétendait simultanément à la clandestinité et à l'immunité. Rebelle dorloté, il voulait pouvoir combiner dans ses « zones d'autonomie temporaire » le frisson nocturne de l'interdit avec la confortable assurance de l'interdiction d'interdire.

2001 mérite donc d'entrer dans l'Histoire. À cette date, en effet, la transgression a fait naufrage : abdiquant toute dignité, sombrant dans le ridicule après plusieurs siècles de défi intrépide à la Puissance, elle est devenue, elle aussi, un droit de l'homme.

Le venin de la fraternité

Julien Gracq : « Il ne s'est trouvé jusqu'ici qu'une catégorie de gens pour soutenir de temps en temps qu'*une paire de bottes vaut mieux que Shakespeare* (Biélinsky) : les écrivains. Exclusivement. Et, ces paires de bottes, il s'en est même trouvé un, et des plus grands, pour lâcher sa plume et se mettre tout uniment à en fabriquer : Tolstoï. Patience ! Sartre peut-être y viendra : c'est notre grand écrivain russe[1]. »

Sartre, finalement, n'y est pas venu. Il a désinvesti, mais selon ses propres termes, il n'a pas défroqué et ce sont ses yeux qui l'ont trahi, ce n'est pas lui qui a abandonné l'écriture : « La culture ne sauve rien ni personne, elle ne justifie pas. Mais c'est un produit de l'homme. Il s'y projette, s'y reconnaît ; seul, ce miroir critique lui offre son image[2]. »

Quelque chose cependant s'est passé depuis *Les Mots* et qui commande de prolonger en ces termes l'épigramme de Julien Gracq : il ne se trouve désormais et il ne se trouvera longtemps encore qu'une

---

1. J. Gracq, *Lettrines*, José Corti, 1967, p. 78.
2. J.-P. Sartre, *Les Mots*, Gallimard, 1964, p. 211.

catégorie de gens pour mettre sur le même plan la beauté de l'art et la laideur déversée à jet continu par la téléréalité dans tous ses états : les intellectuels. Ce sont des sociologues qui voient avec ravissement les gens ordinaires accéder à l'œuvre, c'est-à-dire à l'extension de soi dans une image ; ce sont des psychanalystes qui s'enchantent d'avoir tant de choses à dire sur les nouveaux comportements révélés par ce phénomène et qui applaudissent en lui la sophistication de *leurs* commentaires ; ce sont des politologues, approuvés par des politiciens de toutes tendances, qui jugent que ces jeunes du *Loft* représentent la « vraie France » et qui s'indignent que des ci-devant puissent bouder leur triomphe ; c'est la presse austère qui met un point d'honneur à condamner le mépris *élitiste* pour la « parole d'en bas ». C'est un journaliste rompu à la déconstruction de l'image qui regarde, épaté, « des scènes, des répliques, des formules, des rebondissements qu'aucun scénariste, aucun dialoguiste aurait pu imaginer et qui sont déjà passés dans toutes les cours de récréation de France[1] ». C'est enfin l'un de nos plus illustres romanciers et le lecteur étincelant de Proust, d'Artaud, de Sade, de Bataille qui ridiculise « les professeurs, les proviseurs » et autres bien-pensants horrifiés par le spectacle de la fin du spectacle[2].

---

1. D. Schneiderman, « Enfants de la télé », *Le Monde,* 02.06.2001, p. 25.
2. P. Sollers, *Journal du dimanche,* 27.05.2001.

Au moins nos grands Russes étaient-ils hantés par l'effrayante situation faite à la majorité des hommes : « J'ai vu des enfants mourir de faim. En face d'un enfant qui meurt, *La Nausée* ne fait pas le poids.» Il y avait l'esthétique et il y avait la morale. Il y avait l'art et il y avait l'Autre. Celui-ci, pensait Sartre, devait toujours avoir le pas sur celui-là. Préséance funeste pour l'art et pour l'Autre (qui n'en a jamais demandé tant), mais aujourd'hui, il n'y a même plus de pré-séance. Les valeurs esthétiques ne sont pas seulement secondarisées, elles sont détruites et remplacées par la morale. Celle-ci est égalitaire, l'art est négation de l'égalité : l'art moral sera donc la négation de cette négation. À la révolte contre la misère succède ainsi le combat pour la médiocrité. Deux ans avant sa nomi-nation à la tête de la très prestigieuse Université de tous les savoirs, le critique et philosophe Yves Michaud annonçait la bonne nouvelle : « La démo-cratie radicale touche désormais aussi l'art et la culture. La déférence et la révérence envers les goûts d'élite n'opèrent plus[1].» Touchés par la grâce démo-cratique, les jugements de goût perdent leur tranchant et leur importance : rien ne pèse plus lourd, et surtout pas *La Nausée,* que Steevie qui pleure.

Pour désigner l'ouverture à tous de l'accès aux Lumières humaines, le poète russe Ossip Mandelstam a parlé quelque part de la « splendide promesse faite

---

1. Y. Michaud, *La Crise de l'art contemporain*, PUF, 1997, p. 225.

au tiers état ». Si cette promesse démocratique vient à être définitivement répudiée ou forclose, on ne le devra ni à la persistance de l'Ancien Régime ni aux excès terroristes de la pitié, mais à l'emballement même de la démocratie et à l'activisme fraternel de ses clercs.

La vache et le technophile

À en croire Michel Serres, le virtuel n'est rien de nouveau, mais « la chair même de l'homme. Une vache, elle, n'est pas dans le virtuel. Elle est dans son carré d'herbe en train de brouter[1] ».

Cécité du visionnaire : la vache qui broute dans son pré est un vestige, un chef-d'œuvre en péril, une survivance de l'époque pré-industrielle et pré-informatique où les animaux n'étaient pas encore des artefacts ni la nature une technosphère. Amnésie de l'optimiste : pour faire de la vache le symbole de l'abrutissement, il faut avoir oublié la place royale dévolue à ce gros mammifère dans le bestiaire des poètes et des penseurs qui se refusent aux abruptes disjonctions de l'humanisme vaniteux. La *rumination* est le modèle de la pensée pour ceux qui, avec Nietzsche, s'inquiètent de la déchéance de la durée dans le monde de l'affairement perpétuel et se promettent de ne jamais rien écrire qui ne désespère l'espèce des hommes pressés. Michelet se demande éperdument à quoi rêvent les grands bœufs « si graves sous le chêne sombre ». Leconte de Lisle les voit

---

1. M. Serres, *Le Monde*, 19.06.2001.

« couchés parmi les herbes » qui « suivent de leurs yeux languissants et superbes / Le songe intérieur qu'ils n'achèvent jamais ». Et dès lors qu'on s'arrête assez longtemps devant ces animaux pour les regarder regarder, on est médusé puis comme gagné par leur ahurissement devant l'opacité et l'altérité du monde. Mais qu'est-ce qu'une bête, lente, lourde et si docile peut avoir d'enseignant ou simplement d'évocateur pour le citoyen sans allégeance du cyberespace ? Que demeure-t-il, dans la planète en réseau, des qualités dont la vache était, pour certains, l'emblème cocasse ? Que reste-t-il même du plancher des vaches à l'heure d'Internet et de l'écran radieux ?

La révolution numérique que Michel Serres exalte (tout en disant qu'elle ne change rien) met fin à la rumination, à la rêverie et à la stupeur. Le virtuel, en effet, c'est un réel flexible, malléable, transparent, dépouillé de son altérité ; c'est la mainmise de l'image sur les territoires du songe et de l'imagination ; c'est le renvoi dans la préhistoire humaine de la patience et de la longueur de temps. La communication instantanée « rend dinosaure le temps d'autrefois [1] », jubile Michel Serres.

Qui veut faire l'ange méprise la vache. Et qui méprise la vache ne fait peut-être pas la bête, mais donne euphoriquement congé à la part encore aimable de l'homme.

---

1. *Ibid.*

Le sérieux du sexe
contre la pudeur d'Éros

Religieux le XXIᵉ siècle ? Non : panhumain. Rien ne fera exception à la lutte pour les droits de l'homme ; il n'y aura de réalité que *culturelle* donc *réformable*, de chagrin ou d'extase qu'inscrits dans la grande querelle des Anciens et des Modernes, d'identité que militante, et de pique-nique que dédié à l'abolition universelle de la peine de mort (puis à la célébration de cet événement).

La vie privée, devenue citoyenne, échappera à la juridiction de la littérature. De cette déprise témoigne déjà le cri du cœur poussé par les mouvements « gays et lesbiens » les plus en pointe, à l'occasion de la Fête de la fierté homosexuelle qui a réuni cinq cent mille personnes à Paris et autant à Berlin : « Vingt ans de sida, ça suffit ! » Pour ces francs-tireurs, autrement dit, le sida n'est pas une maladie, c'est une infamie. Ce n'est pas une catastrophe, c'est un scandale. Plus encore que de la médecine, cette affection relève de la politique : si l'on veut enrayer l'épidémie, il faut écraser l'ennemi qui se cache derrière.

Le discours a certes évolué et les représentants de la communauté homosexuelle n'en sont plus à accuser la société d'avoir forgé le mythe du « cancer gay » pour sanctionner des comportements que la loi ne réprimait plus. Mais la haine est intacte, la rhétorique demeure aussi enflammée, le tribunal siège toujours malgré les immenses progrès thérapeutiques accomplis en l'espace de vingt ans, et c'est de non-assistance à populations en danger que les pouvoirs publics ont dorénavant à répondre. Dans cette optique, le sida ne continue à faire des ravages que parce que les campagnes de prévention sont trop rares, trop timides, trop réticentes à mettre les points sur les i, et parce que le gouvernement n'a toujours pas lancé une véritable politique d'éducation sexuelle « à destination des jeunes gays et lesbiennes ». L'avant-garde de la Gay Pride réclame donc à l'État « des distributions massives de digues dentaires, de préservatifs et de gels lubrifiants à base d'eau », ainsi qu'une « image de l'homosexualité moins frileuse, sans fausse pudeur ni hypocrisie ». La pudeur, voilà le crime ! Les masques doivent être arrachés, la nuit éclairée, l'intimité affichée, les équivoques dissipés, et le sexe mis à nu par ses citoyens mêmes : alors, nous dit-on, l'Humanité plurielle, guérie du sida, libérée des discriminations, soulagée du mal-être, pourra exercer, sans entrave, son droit au bonheur.

Il en va ainsi du sexe citoyen qui s'indigne de voir les puritains rougissants collaborer à la propagation du virus HIV, comme de l'esprit dévot qui prétendait que la syphilis avait été envoyée aux hommes pour les punir de leurs péchés. Le premier explique par le maintien de l'idéal ascétique ce que le second expliquait par son effondrement. Dans l'un et l'autre cas, cependant, une même fin de non-recevoir est opposée à l'événement dans ce qu'il a de contingent, d'inattendu, d'opaque, d'aléatoire et de rebelle au principe de raison. Mais là où la logique abolit le tragique, l'humour et la délicatesse sont interdits de séjour. *Quand le sens ne tremble pas*, l'être ne peut se dire que d'une seule manière : péremptoire : « Nous sommes la nouvelle génération de pédés, de bi, de lesbiennes, et de transgenres : nous sommes des filles et des garçons séropositifs, malades du sida, ou séronégatifs de toutes origines. Nos sexualités, quelque forme qu'elles prennent — pénétrations, fellations, anulingus, cunnilingus, caresses, fist fucking, sodomies, dérangent[1]. »

Faisant défiler leurs pratiques sexuelles comme des manifestants en colère, « les jeunes gays et les jeunes lesbiennes » ont l'obscénité syndicale et la provocation pontifiante. Éros, sous leur plume, chausse des semelles de plomb. Ah, Rimbaud ! On est désormais d'un sérieux compact, sans fissure, quand on a dix-sept ans, et ce sérieux donne le ton au monde.

---

1. 1. Act-up (Paris), À jeu égal (Grenoble), Centrale gay Paris (École centrale), Clash ? (ENS Cachan), Dégel (Université Jussieu), Égal Paris-VIII, Homonormalité (ENS Ulm et ENS Lyon), In and out (HEC), Mousses (Sciences-Po), Vingt ans de sida, ça suffit !, *Le Monde*, 24-25.06.2001.

La livraison

Le nouveau pouvoir serbe a donc cédé, *in extremis*. Pour obtenir l'aide internationale à la reconstruction, il s'est résolu à livrer Slobodan Milosevic, le maître d'œuvre des guerres de Yougoslavie, au Tribunal pénal de La Haye. S'il a pris, ce faisant, le parti du droit, c'est parce que le droit avait le visage implacable de la nécessité. Sortant de la mythologie par la porte du réalisme plutôt que par celle de la mauvaise conscience, la Serbie a délaissé le ressassement des griefs pour la politique de l'intérêt et elle a vendu au prix fort l'homme qu'elle avait chargé d'obtenir le recouvrement de ses folles créances sur les autres peuples des Balkans.

La Serbie accepte ainsi de répondre de ses actes devant l'humanité, mais l'humanité se présente à elle comme une force extérieure, comme une entité hors-sol, comme une réalité transcendante et non comme une norme ou une transcendance intime. Plongée dans un univers exclusivement peuplé de positivités et de puissances, la jeune démocratie serbe oppose la sourde contrainte du « c'est ainsi ! » aux fidèles du président déchu et s'efforce logiquement de monnayer sa reddition à l'ordre des choses.

C'est tout le paradoxe d'une justice universelle qui, à l'issue d'un siècle avili et dévasté par le culte de l'Histoire, décide crânement de remplacer la funeste idée que le cours du monde est le tribunal du monde par la sujétion progressive du cours du monde à un droit mondial et qui, du même mouvement, sollicite, dans les petits pays où elle fait ses gammes, les calculs et les comportements auxquels son instauration prétend mettre un terme.

« Nous avons besoin de distractions, disait Rossellini, mais nous avons aussi besoin de nous orienter et de comprendre [1]. » Et le cinéaste de *Rome, ville ouverte* tablait sur la télévision pour satisfaire cette exigence. La ménagère de moins de cinquante ans, notre impératrice sociale, en a décidé autrement. Secondée par sa turbulente progéniture, elle a réduit en cendres le projet de Rossellini. Pour captiver ces consommateurs insatiables que sont l'adolescent mondial et la mère-épouse en charge du budget, le grand mélange berlusconien du kitsch, de l'indiscrétion et de la rigolade a soigneusement purgé l'écran domestique des programmes qui répondaient encore au désir de faire partager au plus grand nombre ce qui était autrefois réservé à une élite.

Après vingt-cinq ans de médiation hebdomadaire entre les écrivains et le grand public, Bernard Pivot lui-même s'en va ; le dernier des Mohicans nous quitte, l'ultime intercesseur tire sa révérence. Il avait assurément fait boire le bouillon à la culture et noyé

1. R. Rossellini, « La télévision comme utopie », Auditorium du Louvre, *Cahiers du cinéma*, 2001, p. 126.

bien souvent les enjeux dans l'anecdote pour ne pas désespérer les annonceurs, mais la France a la gorge serrée et il se trouve même des Américains qui prennent le deuil. Cette fois, en effet, c'est la fin. Jamais plus une nation ne se donnera rendez-vous, un soir d'automne, pour regarder, juste après le dîner, les *Perses* d'Eschyle. On enterre un monde. On liquide tout ce qui restait de l'époque où le livre faisait partie du nécessaire au même titre que le pain et le vin. On enfonce un dernier clou dans le cercueil de l'utopie rossellinienne. La civilisation de l'imprimé ne fait plus peur à la vidéosphère. Rien ne distingue désormais le service public, sinon le paiement, devenu absurde, de la redevance. L'obstination pédagogique cède la place, toute la place, à l'obsession de l'audience. Et l'on est tenté de donner raison à Umberto Eco lorsqu'il définit notre époque comme un nouveau Moyen Âge. À l'expansion progressive des Lumières semble en effet succéder l'entretien statique de la flamme sur des îlots ou dans des enclaves soustraits à l'empire du divertissement. Bannie de l'espace public, la culture se replie, se recroqueville, se calfeutre et « rien ne ressemble plus à un monastère (perdu dans la campagne, clôturé, côtoyé par des hordes barbares et étrangères, habité par des moines qui n'ont rien à voir avec le monde et qui poursuivent leurs recherches privées) qu'un campus américain[1] ».

1. U. Eco, *La Guerre du faux*, Grasset, 1985, p. 81.

Quelque chose cloche, pourtant, dans cette compa-
raison séduisante. Ce n'est pas la foi, en effet, qui
anime nos studieux bénédictins, c'est une méfiance de
tous les instants, c'est le désir perpétuellement actif de
ne pas s'en laisser accroire. *Le refus d'être les dupes de
la culture* constitue l'essentiel de leur credo. Désa-
busés et fiers de l'être, ils enseignent que ce qui se
donne dans l'expérience est toujours déjà construit et
mis en forme par une compréhension du monde particulière. Et quand une romancière affirme, avec un
solennel aplomb, que « qui vise à l'art dans son œuvre
vise du même coup à la vérité au sens imaginatif du
terme, ni plus ni moins[1] », ils rétorquent poliment
mais fermement que la fiction partage le destin
culturel de toutes les pratiques humaines et que, à ce
titre, elle n'est ni moins valable ni moins fictive. La
véhémence ontologique des œuvres est muselée par
les sciences de l'homme et Flannery O'Connor
déboutée par les meilleurs spécialistes de la littérature
américaine.

Les nouveaux moines, en d'autres termes, n'ont
qu'une obsession : éveiller l'humanité à l'*inexistence*
d'un lien entre la langue et l'être, la création et la
connaissance, les formes verbales et le monde sensible. Ils s'attachent à dissiper l'illusion d'objectivité
en tous domaines sauf la science (et encore...). Ils ne
concèdent aucun pouvoir de révélation ou de divulga-

---

1. F. O'Connor, *Le Mystère et les mœurs*, Gallimard, 1979, p. 73.

tion à nos systèmes symboliques, et cette incrédulité a une portée morale autant que théorique : si tout est également arbitraire, tout est également légitime et *il est exclu d'exclure.*

Et voici le concept d'élitisme enrichi d'un sens inédit par les abbayes du savoir. Être élitiste, cela ne consiste plus à garder Marivaux pour soi et pour ceux qu'on en juge dignes, mais à creuser la fracture sociale en faisant peser sur la société dans son ensemble la norme bourgeoise de l'écrit littéraire. Tant qu'on croyait accéder par le théâtre de Marivaux à une vérité de l'amour qui ne s'exprime nulle part ailleurs, l'idée démocratique commandait de ne pas céder au découragement et de faire étudier *La Double Inconstance* même et surtout dans les zones d'éducation prioritaire, là où les mots manquent. Nos centres monastiques ayant invalidé cette croyance, le siècle est mis en demeure de combattre l'inégalité en remplaçant, dans les classes où le torchon brûle, les subtilités et les complexités du marivaudage par des histoires plus proches, plus directes, plus colorées et plus actuelles.

Ne pas se fier aux apparences : c'est à l'intérieur de ses propres sanctuaires que la culture sombre dans l'indifférenciation culturelle et que sa subversive valeur de vérité lui est retirée au profit de l'inoffensive relativité des valeurs. Ce sont les monts Athos de l'université qui frappent d'insignifiance les œuvres dont ils ont la charge. C'est l'herméneutique du soupçon qui fait de l'art une quantité négligeable. À la télévision comme à l'école, c'est l'élite la plus sophistiquée qui donne à la démagogie la caution du désenchantement, et au renoncement l'alibi de l'anti-élitisme. Bref, c'est l'intelligence des moines qui entérine la bêtise du monde. Il n'y a pas de précédent à cette collaboration.

Après plusieurs autres journaux, *Paris-Match* ouvre ses colonnes à Philippe Sollers et à sa guerre permanente menée, cette fois au nom de *Loft Story* (la dernière frontière de la télévision), « contre le clergé à l'ancienne qui se reconnaissait dans la famille traditionnelle, l'école, le mérite, l'armée, la patrie, le bas de laine, les décorations, les institutions, les académies[1] » et qui, affolé par la nouveauté, réclame sur tous les tons le retour à l'ordre.

On a bien le droit de prendre à revers ce qu'on croît être l'opinion dominante dans le milieu intellectuel : la liberté et parfois la vérité sont à ce prix. Mais ce qui fait mal et aurait demandé autrefois réparation, c'est le fait de ranger les valeurs de la République sous la même bannière traditionaliste que celle de Vichy. École, Famille, Patrie, tel est, pour Sollers, le triptyque de la Révolution nationale et, par-delà les années noires, de cette insubmersible *France moisie* qui « a toujours détesté, pêle-mêle, les Allemands, les Anglais, les Juifs, les Arabes, les étrangers en général[2] »...

---

1. P. Sollers, « Le succès du Loft : les Français parlent et ça les amuse car, dans la réalité, se parle-t-on encore ? », *Paris-Match*, 12.07.2001.
2. *Id.*, *Éloge de l'infini*, Gallimard, 2001, p. 714.

Mais ces étrangers, dont Philippe Sollers plaide si généreusement la cause, ont toujours fait la différence entre la pureté héréditaire fièrement revendiquée par les nationalistes et l'héritage offert par l'école. Si la France s'apprend, en effet, le nouveau venu est le bienvenu. Si, en revanche, il n'y a d'appartenance qu'organique et si la culture relève de la nature, la porte de la cité lui est fermée à jamais. La télécité planétaire, il est vrai, se moque éperdument du mérite comme de la naissance et la société qu'elle façonne sur les décombres de la nation fait tomber dans le puits de l'histoire ancienne la querelle entre l'hospitalité par les œuvres et la mystique de l'enracinement. Aussi peut-on, en toute quiétude, en toute impunité, coller l'étiquette infamante de fasciste ou de pétainiste sur ceux qui, conscients de leur dette à l'égard de la France de l'intégration, souffrent de la voir disparaître et répugnent à épouser (en s'esclaffant) le temps où il leur est donné de vivre.

L'Humanité fait rage

Le Tribunal pénal international pour l'ex-Yougoslavie ne perd pas son temps. Une semaine après le transfert à La Haye de Slobodan Milosevic, le procureur Carla del Ponte débarque en Croatie et, sur un ton évidemment comminatoire, elle réclame aux autorités de ce pays la livraison dans les plus brefs délais de deux généraux ayant participé à la reconquête de la Krajina de Knin, une région occupée et « nettoyée » par les Serbes entre 1991 et 1995. Pourquoi cette hâte ? Pourquoi cet empressement à faire ses courses à Zagreb, alors qu'on vient, à Belgrade, de remplir son panier à provisions ? Pour bien montrer que le Tribunal ne fait pas deux poids deux mesures, qu'il n'est au service de personne, qu'il ne défend aucune cause sinon celle de la justice et que, loin de s'en prendre aux seuls vaincus, il punit les coupables quel que soit leur drapeau ou leur uniforme. Par cette symétrie et cette quasi-simultanéité dans l'accusation, la nouvelle juridiction veut signifier aux grincheux, aux sceptiques, aux jamais contents que le XXe siècle est terminé : la pratique généralisée de la guerre totale ayant anéanti le droit des gens et ses efforts pour domestiquer les conflits, les limiter à des objectifs rationnels, en civiliser les moyens et les formes, un nouveau droit est né qui ne repose plus sur l'équilibre des puissances ou sur les conventions entre une pluralité d'instances souveraines, mais qui a vocation à s'exercer, au nom de l'Humanité, sur tous les massacreurs d'État. Hypocrisie ? Non : aveuglement. Que sait-on, en effet, de la réalité quand on l'appréhende dans les seules catégories du droit ? Que reste-t-il de la distinction fondamentale entre la défense de la patrie et la guerre d'annexion quand on décide de ne prendre en compte que les exactions commises dans un cas comme dans l'autre ? Il n'en reste rien justement. Les protagonistes sont traités sur un strict pied d'égalité criminel et dans la Croatie cassée en deux par la sommation qu'elle subit, ce sont les *idéalistes* qui refusent, au nom de la vérité, de passer sur les fourches caudines de l'équidistance ou de l'indifférenciation, tandis que les *réalistes* s'y résignent car, disent-ils, tel est le lourd prix à payer pour sortir de l'isolement. Voici donc la raison d'État primée par l'institution même qui se targue de l'avoir à l'œil. Ce paradoxe n'émeut nullement le Tribunal. Peu lui importe les effets pervers de ses initiatives ou l'antipathie qu'il inspire dans les pays qui relèvent de sa compétence. Il ne cherche pas davantage à connaître les raisons de ceux qui lui cèdent qu'à peser les conséquences de ses inculpations. Puisque le lien humain se réalise en lui et qu'il incarne, pour le dire en termes kantiens, « l'idée rationnelle d'une communauté générale, pacifique sinon encore amicale de tous les peuples de la terre », la sortie de la barbarie et l'accession à l'universel s'attestent dans la soumission à ses exigences. La bonne conscience du Tribunal est donc inébranlable. On s'agite ? On proteste ? On fait la mauvaise tête ? On traîne les pieds ? Ce ne sont là, pour La Haye, que les spasmes d'un passé qui a du mal à passer, les symptômes d'une mentalité retardataire, les traces têtues de la préhistoire où les hommes n'étaient pas encore convertis à l'Humanité et se regardaient en chiens de faïence.

En résumé, tout se passe aujourd'hui comme si l'universel était l'affaire exclusive du droit, et l'humanité l'apanage des juges. Ce qui enflamme l'esprit de notre temps, ce qui fait sens pour lui, ce n'est plus le thème d'une particularité tournée vers l'universel, ce n'est plus le motif d'une politique ancrée dans un territoire, émanant d'une communauté historique et, à la fois, habitée par une vocation, soucieuse de servir à quelque chose dans le monde, c'est la farouche volonté de poursuivre le mal et de châtier les méchants mise en œuvre contre vents et marées, par une justice progressivement affranchie de ses limites temporelles ou territoriales. Il faut avoir basculé dans *l'acosmisme judiciaire* pour réclamer l'arrestation et la comparution de ceux qui, par les moyens du carnage, ont fait de la ville de Srobrenica un bastion serbe, sans même songer à revenir sur les accords qui consacrent cette annexion. Et les Balkans ne sont qu'un hors-d'œuvre : nous n'avons encore rien vu des dommages que ne manqueront pas d'infliger au monde cette destitution de la politique par le droit et cet oubli de leur finitude par des hommes imbus de leur humanité.

« Les optimistes, disait Bernanos, sont des imbéciles heureux, et les pessimistes, des imbéciles malheureux. » À peine me suis-je fait à moi-même le serment de ne plus jamais céder à la seconde imbécillité que me parviennent du front de la culture — c'est-à-dire des collèges et des lycées — des informations dont on diminuerait considérablement l'horreur en les qualifiant d'alarmantes. Je savais qu'un nouvel exercice faisait fureur dans les classes de français : l'écriture d'invention. Mais j'aurais été bien en peine de dire de quoi il retournait exactement. Cette ignorance vient d'être comblée par la lettre d'une enseignante qui, comme tant d'autres, doit lutter pied à pied contre l'institution et ses directives pour faire dignement son métier.

Soit la première scène de l'acte V d'*Andromaque*. Hermione vient d'ordonner à Oreste (qui l'aime) d'assassiner Pyrrhus (qui la dédaigne). Sa passion la divise, son âme est le théâtre d'un combat déchirant entre la jalousie qui confirme la décision qu'elle vient de prendre et la douleur qui voudrait l'annuler. Deux images également insupportables l'assaillent : celle de Pyrrhus gisant et celle de Pyrrhus indifférent. Sous le titre « Écriture-expression orale », le manuel de seconde édité par Hachette Éducation propose l'exercice suivant : « Transposez la situation dans le monde contemporain et réécrivez en prose, à la première personne, la monologue d'Hermione. Tout en conservant les matériaux du personnage, vous pouvez, si vous le souhaitez, recourir à la tonalité comique et à un registre de langue peu soutenue [1]. » Et le livre du maître fournit, en guise d'exemple, à tous les professeurs, un devoir d'élève (*après corrections*) qu'il vaut la peine de lire en parallèle avec le poème racinien.

Hermione : « Où suis-je ? Qu'ai-je fait ? Que dois-je
faire encore ?
Quel transport me saisit ? Quel chagrin me dévore ?
Errante, et sans dessein, je cours dans ce palais.
Ah ! ne puis-je savoir si j'aime ou si je hais ? »

La copie exemplaire : « Où j'en suis, moi ? Qu'est-ce qui m'arrive ? Pourquoi je déprime comme ça ? Qu'est-ce que je vais bien pouvoir faire ? Je traîne en jogging devant la télé, même pas maquillée en plus. Je l'aime ou je lui en veux vraiment ? »

Hermione : « Le cruel ! de quel œil il m'a congédiée !
Sans pitié, sans douleur, au moins étudiée !
L'ai-je vu se troubler et me plaindre un moment ?

---

1. *Des textes à l'œuvre*. Français, seconde, Livre du professeur, Hachette Éducation, 2000, p. 67.

En ai-je pu tirer un seul gémissement ?
Muet à mes soupirs, tranquille à mes alarmes,
Semblait-il seulement qu'il eût part à mes larmes ?
Et je le plains encore ? Et pour comble d'ennui,
Mon cœur, mon lâche cœur s'intéresse pour lui ?
Je tremble au seul penser du coup qui le menace ?
Et prête à me venger, je lui fais déjà grâce ? »

Le devoir exemplaire : « Le salaud, comme il m'a jetée !
Il n'a même pas fait style de me regretter un peu... Il
n'a même pas rougi quand il m'a avoué qu'il me lâchait
pour un mec ! Pas la moindre honte ! Rien à faire, tranquille... et moi, je suis encore accro ! »

Hermione : « Non, ne révoquons point l'arrêt de mon
                                                courroux :
Qu'il périsse ! Aussi bien il ne vit plus pour nous.
Le perfide triomphe, et se rit de ma rage :
Il pense voir en pleurs dissiper cet orage ;
Il croit que toujours faible et d'un cœur incertain,
Je parerai d'un bras les coups de l'autre main.
Il juge encor de moi par mes bontés passées.
Mais plutôt le perfide a bien d'autres pensées.
Triomphant dans le temple, il ne s'informe pas
Si l'on souhaite ailleurs sa vie ou son trépas.
Il me laisse, l'ingrat ! cet embarras funeste.
Non, non, encore un coup : laissons agir Oreste.
Qu'il meure, puisqu'enfin il a dû le prévoir,
Et puisqu'il m'a forcée enfin à le vouloir... »

La copie exemplaire : « Non, plus moyen de changer d'avis sans passer pour une conne... Puisqu'il se la joue tapette, il va le regretter... Je préviens la patronne... Il croit que quand j'aurai fini ma déprime, je serai comme avant, je dirai pas qu'il pique dans la caisse et qu'il va coiffer la mère Pluduc chez elle, ça fait de la clientèle en moins pour le salon, sale con... Il se fout de tout, c'est le bonheur, ça roucoule, si c'est pas une honte et que les autres crèvent, il va voir... Il m'a pas laissé le choix, Polo va le dérouiller, il saura que c'est moi, "petite coiffeuse frustrée" qu'il m'a dit, tout ça parce que l'autre chiffe est comptable, un intello autant dire... Bon, j'appelle la patronne... Crève, connard ! »

Au xixᵉ siècle, les grands textes de la littérature étaient pour les élèves des modèles à imiter. Comme le rappelle Gérard Genette, l'étude des œuvres se prolongeait tout naturellement en un apprentissage de l'art d'écrire. Au siècle suivant, la littérature cesse d'être un *modèle* pour devenir un *objet*. Les élèves ne doivent plus rédiger des fables ou des portraits, mais des dissertations portant sur La Fontaine ou sur La Bruyère. Le xxiᵉ siècle rompt avec ce ronron : voué à la tâche exaltante de déscolariser l'école, il fait entrer l'enseignement littéraire dans l'âge de la désublimation et de la compression temporelle. La nouvelle *inventio*, en effet, ne consiste nullement à rapprocher l'élève des œuvres, mais, bien au contraire, à dépouiller celles-ci de leur étrangeté, à les actualiser, à les rapprocher de la vie jusqu'à les rendre *télécompatibles*. Ainsi se défait le lien patiemment tissé par la littérature entre le sentiment éprouvé et les mots qu'il exprime : tout doit pouvoir être dit dans n'importe quel idiome.

Cet exercice n'a rien à voir non plus avec le renversement carnavalesque du style élevé en style populaire. Pour le brut, le salace et le fat aujourd'hui, tel qu'en lui-même enfin l'école l'accueille et le titularise, il n'y a ni style haut ni style bas : il y a un *style moi*, moderne, nature, droit au but, qui transcende les différences de classe comme de sexe et qui est parlé par les jeunes, c'est-à-dire par tout un chacun. Au centre du système éducatif trône l'élève et, au centre du monde comme au sommet du temps, une humanité adolescente, libérée de la forme et si fière d'en avoir fini avec les tabous sexuels comme avec la négation petite-bourgeoise de l'altérité qu'elle fait de Pyrrhus un garçon coiffeur gay, pour pimenter la fureur d'Hermione. Aucune autre époque de l'Histoire ne s'est voulue aussi tolérante et ouverte. Aucune n'a été aussi enchantée d'elle-même. Pour faire place à la littérature, c'est-à-dire à l'art de sortir de soi, il lui manque ce temps du verbe : l'imparfait du présent.

Imbécillité des pessimistes. Ils prévoient la catastrophe alors que, ni vu ni connu, elle a déjà eu lieu. Ils noircissent l'avenir quand c'est le présent qui est sinistré.

À la manière d'Henri Michaux   *21 juillet*

Plume déjeune d'un sandwich et d'un Perrier-rondelle dans une brasserie parisienne quand le maître d'hôtel s'approche de lui et d'une voix furibonde : « C'est vous qui avez ordonné au garçon d'éteindre la radio ? » Plume s'excuse aussitôt : « Voilà, dit-il. Je suis entré, je me suis assis, j'ai déplié mon journal, mais je n'ai pas réussi à lire, à cause du bruit. Et puis l'allégresse des mélodies ainsi que la bonne humeur du monsieur de chez Peugeot me rendaient inexplicablement triste. Constatant, sans vouloir vous offenser, que votre café était presque vide, je me suis dit : "Ils sont trop gentils, ils veulent me faire plaisir en mettant de l'ambiance, je vais donc dire que je suis allergique au bruit et tout ira bien." J'ai attendu que le garçon vienne vers moi pour prendre la commande et je ne lui ai quand même pas dit d'éteindre. Je lui ai juste demandé, aussi courtoisement que possible, s'il pouvait mettre la musique un peu moins fort. »

Plume, atrocement gêné, se replonge dans son journal. Lorsqu'il relève les yeux, c'est le chef d'établissement qui se tient devant lui. Plume s'excuse aussitôt : « Je n'aurais jamais dû utiliser le terme de bruit. Car ce n'était certainement pas mon intention de comparer Manu Chao avec un marteau piqueur. Je pensais juste que la musique devait être voulue pour être aimée. »

Mais voici le maire de Paris, la ministre de la Culture et le ministre de la Ville. Plume s'excuse aussitôt : « Je ne sais pas ce qui m'a pris. Soudain, j'ai eu envie de crier "silence !". Je ne suis pas allé si loin certes, mais j'ai quand même cherché à transformer ce café en cimetière. Or, vous avez raison : ce n'est pas parce que la fête de la musique dure un jour que Paris doit être une ville morte le reste du temps. Je plaide coupable, sans circonstances atténuantes. »

Chaque année, dans les rues de Berlin, près d'un million de jeunes venus de toute l'Europe délivre un grand message d'amour en dansant sur les rythmes envoûtant de la musique électronique. «*We are one family*», hurlent-ils à la planète et, le lendemain du défilé, les lapins, les écureuils et les batraciens du Tiergarten se ramassent à la pelle, le tympan crevé par les décibels. Les crapauds qui survivent à la Love Parade restent sourds.

Ces animaux, visiblement, ne font pas partie de la famille universelle. Ils suscitent, c'est vrai, moins d'enthousiasme anthropomorphique que les félins, les rapaces ou les grands fauves. Avec leur grosse tête, leur peau verruqueuse, leur coassement, leur inélégance, ils ne symbolisent rien qui vaille. Nul n'a envie de fendre les airs ou de traverser les continents au volant d'un têtard. Crapaud n'est pas un bon logo. Il y a bien Victor Hugo qui plaide démocratiquement la cause de « ce monstre chétif, louche, impur, chassieux », de ce « pauvre être ayant pour crime d'être laid », et qui nous contraint, par la seule force du verbe, à nous mettre à sa place. Mais, aux yeux du plus grand nombre, la poésie a cessé depuis longtemps de se confondre avec ce décentrement. Ce qui est spontanément jugé artistique ou poétique, ce n'est pas l'attention aux choses, c'est la performance expressive, la transe des corps en fusion, la fureur de vivre hors du carcan de la loi et de la raison bourgeoise. Les participants de la *Love Parade* sont d'autant moins enclins à écouter les poètes qu'ils se prennent pour leurs héritiers.

Et pourtant, du point de vue du crapaud, il n'y a pas de différence entre les froides opérations d'une raison imperméable au donné et le bruit de la fête. La première bâtit le technocosme où se déchaîne la seconde. Les « teufeurs » doivent tout aux ingénieurs. Une même puissance, un même autisme sont à l'œuvre dans la mise en ordre méthodique du réel et dans la libération extatique des pulsions. Ondulant, jour et nuit, devant un fantastique mur d'enceintes, Dionysos célèbre, à plein tube, le culte de Prométhée. Le tintamarre du ravissement mécanisé orchestre le « féroce plan d'occupation des sols élaboré par les hommes » au détriment de « l'immémorial droit de cité des animaux sur la terre [1] ». Et le mot galvaudé d'amour perd le peu de dignité qui lui restait à désigner, sans la moindre nostalgie réconciliatrice, la version la plus trépidante de cette férocité.

---

1. É. de Fontenay, *Le Silence des bêtes, la philosophie à l'épreuve de l'animalité*, Fayard, 1998, p. 556.

Salauds de platanes !

Un jour qu'il descendait dans l'arrière-cuisine de la maison de Combray, le narrateur d'*À la recherche du temps perdu* surprit Françoise, la gouvernante, en train de tuer un poulet. Elle cherchait à lui fendre le cou sous l'oreille. Mais l'animal affolé refusait de coopérer à sa mise à mort. Le poulet avait l'effronterie de s'inscrire en faux contre son destin d'agape. Hors d'elle, ulcérée par cette impertinence, Françoise criait : « Sale bête ! sale bête ! » Et quand tout fut fini, elle « eut encore un sursaut de colère, et regardant le cadavre de son ennemi, dit une dernière fois : "sale bête [1] !" ».

Longtemps, j'ai pris pour un symptôme d'arriération cet accès de haine et de cruauté furieuses. J'avais tort. Françoise était en avance sur son temps. Son impatience était prémonitoire. Tout comme « les torrents de larmes qu'elle versait en lisant le journal sur les infortunes des inconnus [2] », sa dureté singulière annonçait le monde qui vient.

---

1. M. Proust, *Du côté de chez Swann*, in *À la recherche du temps perdu*, Gallimard, « Quarto », 1999, p. 104.
2. *Ibid.*

Par une nuit étoilée du premier mois de juin du xxie siècle, un commando d'une dizaine de personnes a entaillé quatre-vingt-seize platanes sur une route départementale des Hautes-Pyrénées près de Vic-en-Bigorre. Ces vengeurs nocturnes ont laissé un arbre intact qu'ils ont entouré d'un cercle rouge. Sur la chaussée, ils ont écrit en gros caractères : « Celui de trop », pour rappeler et *dénoncer* le décès d'un jeune motard qui avait trouvé la mort à cet endroit quelques jours auparavant. Et par un tract déposé à *La Dépêche du Midi*, ils ont expliqué leur geste en ces termes : « Oui, nous en avons marre de cette technique d'un autre âge qui fait se côtoyer une route à grande circulation et des hachoirs à vie. Nous avons pris cette responsabilité à la place de ceux, élus et administrateurs, qui auraient dû la prendre depuis longtemps. » Quelques mois plus tôt, un artisan plombier de La Rivière-Saint-Sauveur dans le Calvados abattait l'arbre contre lequel sa femme et sa fille venaient de s'écraser en voiture. Il rédigea ensuite une pétition qui recueillit près de six mille signatures. « Nous en attendons beaucoup d'autres, confiait-il à une journaliste. Si vous lisiez les témoignages des camarades de ma fille défunte, vous seriez bouleversée : "Un arbre se remplace, une vie pas", "Coupez les arbres, pas la vie" [1]. »

À l'inverse de l'anecdote proustienne, ces histoires sont tragiques. Mais à l'instar de Françoise, leurs héros

---

1. Cité dans A.-M. Revel, « Ces platanes qu'on abat », *Le Figaro*, 04.03.2001.

vivent dans un environnement exclusivement peuplé de moyens. La distinction entre les objets techniques et le règne vivant n'y a plus cours. La nature se dévoile sur le mode de l'utile : loin d'être sans finalité, la non-humanité existe *pour* l'humanité. La rose a un pour-quoi, comme le poulet ou les platanes. Ce qui fait que celle-là est fautive quand elle pique et ceux-ci quand ils ne se laissent pas tout à fait enclore dans leur définition instrumentale. S'il y a bien quelque inconséquence à blâmer pour une maladresse ou un écart de conduite humains ceux-là mêmes qu'on a au préalable exclu de la communauté des vivants, cette aberration n'est pas une régression. Cet infantilisme ne fait pas retomber l'humanité en enfance, mais relève tout entier de ce qu'Auguste Comte appelle le stade positif de l'intelli-gence humaine. Ni Françoise ni les conducteurs de bolides qui traitent les arbres d'assassins ne restituent au phénomène la transcendance ou la sacralité dont les a dépouillés la science moderne. Bien loin de délaisser le pragmatisme pour le fétichisme, ils prennent au pied de la lettre la grande promesse moderne de réduire le monde à un domaine maîtrisé. Humanistes déchaînés, prométhéens à tout crin, ils pensent que rien, sur une terre entièrement désenchantée, ne doit jamais déranger ou déborder la volonté et la représentation de l'homme. C'est l'anthropocentrisme en eux qui s'offusque que la réalité ne soit pas totalement docile et calculable alors qu'il n'y a en elle aucune démesure sur-naturelle, aucune puissance mystérieuse, aucun *no man's land.* Bref, c'est adossés au règne de la raison qu'ils s'emportent contre l'être jusqu'à se venger de ses obstructions ou de ses incartades.

Au demeurant et quoi qu'en disent ces activistes, les responsables épousent leur querelle : « Les platanes le long des routes sont des dangers publics », a déclaré le ministre français de l'Agriculture. Et comme le principe de précaution n'attend pas, l'État fait abattre près de cent arbres d'alignement par jour « pour des accotements plus sécurisés ».

Ce processus ne risque pas de s'arrêter ni même de ralentir. Il ne peut, au contraire, que continuer et se généraliser. Dans notre univers connecté, les images, les informations, les données occupent une place grandissante : l'habitude de ces non-choses manipulables et évanescentes réduit inexorablement la tolérance aux choses extérieures. Plus augmente le pouvoir de susciter, de combiner et d'effacer le visible à volonté, moins on sait ce que « laisser être » veut dire. Exposé à la concurrence permanente du virtuel, le réel est désormais sur la sellette. Le futur regorgera, n'en doutons pas, d'ayants droit enragés, de Françoise à bout de nerf qui invectiveront sans relâche ce réel coriace, rétif, frondeur, lourd, mal embouché, et qui sauront, s'il le faut, lui faire payer sa nocivité ou sa désobéissance.

Comme si la pluralité était un leurre,
Comme si l'humanité, ce n'était pas les hommes,
mais deux hommes : le Dominant et le Dominé,
Comme si l'un était simultanément capitaliste, raciste,
sexiste, xénophobe, et l'autre, la vivante antithèse de
toutes ces horreurs,
Comme si l'action politique ne connaissait jamais
d'obstacles, de problèmes ou de limites, mais seulement des adversaires ou des traîtres,
Comme si la totalité du phénomène humain se
réduisait au problème de l'oppression,
Comme si le sous-commandant Marcos était fondé à
se proclamer « homosexuel à San Francisco, noir en
Afrique du Sud, indigène dans les rues de San Cris-
tobal, juif en Allemagne, pacifiste en Bosnie, mapuche
dans les Andes [1] »,
Comme si l'on pouvait fédérer en un seul mouvement
les revendications de toutes les victimes de l'injustice,
Comme s'il n'y avait aucune leçon à tirer de l'expérience totalitaire,

1. Cité dans C. Aguiton, *Le monde nous appartient*, Plon, 2001, p. 12, 13.

Comme si le xxᵉ siècle n'avait pas eu lieu,
Un grand vent de contestation *lyrique* souffle sur les
pays industrialisés.

On croyait que le maître mot de Révolution avait
emporté dans sa chute le « eux ou nous », le « tout ou
rien » et le « Plénitude ou Barbarie » de la pensée binaire.
Mais en prenant l'habitude de se réunir pour traiter des
problèmes planétaires, les responsables des États les plus
influents et les plus riches ont imprudemment accrédité
l'idée d'un directoire ou d'un gouvernement mondial.
Cette idée a remis à l'honneur le fantasme de la toute-
puissance. Avec les rendez-vous médiatisés de l'oligar-
chie mondiale, le mal disséminé s'est recoagulé, le système libéral a pris *corps* et l'on a pu, à nouveau, remonter
de la bigarrure des apparences ou de l'anonymat des
processus vers le *cerveau* impitoyable qui tire les ficelles
et qui dirige les opérations. Seattle, Davos, Québec,
Nice, Göteborg, Gênes : autant d'adresses de la Domination, autant de lieux où les maîtres de l'univers ren-
forcent leur contrôle, autant de cibles, par conséquent,
pour les porte-parole de la communauté humaine.

Ainsi prend fin la parenthèse de l'ébranlement : ainsi
se colmate la brèche qu'avait ouverte la fin du commu-
nisme. L'être, divisé en deux camps ou en deux forces
antagonistes, redevient intégralement malléable à la
volonté. Et, selon un scénario décidément insubmersible,
la jeunesse incarne la grande rébellion de la volonté bonne
contre la conspiration des prédateurs. Il faudra se rendre
à l'évidence, lisait-on dans la presse au lendemain du

sommet de Gênes, « la mondialisation de l'économie a fait naître la mondialisation d'une génération qui a soif d'égalité, de justice et qui refuse la fatalité du chacun pour soi ». Et une militante ajoutait : « On veut faire croire qu'on n'a aucune légitimité. Mais notre légitimité, c'est d'être jeune, de rêver, de souhaiter un monde meilleur [1]. »

Ne dites pas à ces filles et à ces garçons ivres de générosité printanière que, par le biais des fonds de pensions, c'est l'actionnariat *populaire* qui, à la moindre bourrasque, met les entreprises en demeure de procéder à des dégraissages ou à des délocalisations. Ne leur parlez ni des dissensions qui mettent à mal l'unité des puissants ni des limites à cette puissance. Inutile de relever la difficulté où sont les démocraties de concilier le long terme avec les élections ou le soin du monde avec la fièvre de consommation qui les anime. N'essayez pas non plus d'attirer l'attention de la « génération justice sociale » sur les sujets traités lors des forums qu'elle attaque, ou sur les différences entre les organismes de la mondialisation. Ne lui demandez pas pourquoi la solidarité sans frontière dont elle se flatte néglige le Tibet, la Tchétchénie, la Corée du Nord, les Kurdes, les victimes de l'islamisme en Algérie, en Afghanistan, au Soudan et, de façon générale, toutes les persécutions, toutes les souffrances non imputables au gouvernement américain, au vampirisme des marchés financiers ou aux firmes transnationales. À ces mili-

---

1. « Génération justice sociale », *Libération*, 23.07.2001.

tants indignés qui font campagne contre le cynisme
avide des grandes compagnies pharmaceutiques, ne vous
donnez pas la peine d'expliquer qu'en Afrique du Sud
c'est Thabo Mbeki, le successeur de Nelson Mandela,
qui refuse de distribuer gratuitement des antirétrovi-
raux aux malades du sida car il estime que la science
occidentale n'est d'aucun secours pour son peuple.
Ne vous risquez pas enfin à soutenir, sur la foi des
enquêtes journalistiques, que, loin de révéler le vrai
visage — fasciste — de la mondialisation, les inadmis-
sibles brutalités commises par les forces de l'ordre,
pendant le sommet de Gênes, ont montré ce qu'il
advient de policiers confrontés, dimanche après
dimanche, dans les stades de football, à des milliers de
supporters qui les injurient et « leur jettent cailloux,
billes, voire récemment des mobylettes sur la tête pendant des heures [1] ». Vous perdriez votre temps. Vous
n'auriez aucune chance d'être entendus. Vos subtilités
et vos complexités se briseraient sur la haute muraille
de leur adolescence. La jeunesse est dans son rôle, en
effet, quand elle délaisse la *singularité* des cas pour la
radicalité du Bien et qu'elle chasse à coups de fières
antithèses l'ambivalence ou l'ambiguïté des situations
réelles. En outre, et depuis qu'il faut être absolument
moderne, la maturité n'est plus, pour la société, une
valeur : les jeunes n'ont d'autre vis-à-vis que les vieux,
les archaïques, les ringards. Comment, dès lors, sorti-

---

1. « L'Italie se penche sur le comportement d'une police controversée », *Le
Monde*, 08.08.2001.

raient-ils de leurs sentiers battus ? Où trouveraient-ils la ressource de changer d'emploi ? Trop d'adultes les portent aux nues et s'enchantent obséquieusement de leur intransigeance abstraite pour qu'ils puissent aspirer à des qualités, à des dispositions qu'ils ne trouvent pas spontanément en eux-mêmes, comme la modération, le goût du concret ou le scrupule intellectuel. L'âge des possibles n'a pas le choix. Les jeunes ne peuvent échapper à la jeunesse. Les voici donc de retour parmi nous, fidèles au poste, immuables, graves, désintéressés, catégoriques, tautologiques, dichotomiques, ardemment manichéens, prompts à démasquer les méchants, allergiques à l'incertitude, et ne concevant la politique qu'investie d'un pouvoir illimité pour le meilleur ou pour le pire. Ils mettent une prodigieuse énergie à démentir le verdict de la fin de l'Histoire, mais, en condamnant à l'échec tous les efforts pour arracher la pensée critique aux griffes du lyrisme, ils empêchent aussi que l'Histoire innove.

La souveraineté a mauvaise presse, et pour de bonnes raisons. Nul pouvoir ne lui étant, par définition, supérieur, elle garantit l'impunité à l'État criminel. La mémoire comme l'actualité nous interdisent de consentir à ce scandale.

Les nazis ont révélé, en les transgressant souverainement, les normes fondamentales, impératives et universelles auxquelles il n'est, en aucun cas, permis de déroger. Hitler est un monstre inégalé, mais les atrocités posthitlériennes se sont déroulées *en direct*. Nous en avons été saisis, séance tenante, par les dépêches et par les images. Notre regard nous transporte maintenant bien au-delà des frontières de l'État dont nous sommes citoyens. Notre regard, c'est-à-dire notre sensibilité, notre humanité, notre capacité à compatir et à nous mettre en colère. La distance protégeait la souveraineté : la domestication médiatique du dehors dilate le champ d'action de la démocratie. Comment fermer les yeux sur les événements qui se déroulent dans un autre territoire quand il suffit précisément d'ouvrir les yeux pour en être le témoin ? Nous pouvons décider de ne nous occuper que de ce qui nous regarde, mais qu'est-ce qui nous regarde quand rien ne nous échappe et que nous avons l'œil sur le monde ? Il est légitime de vouloir cultiver son jardin, mais où celui-ci s'arrête-t-il ? Où passe la ligne entre l'ici et l'ailleurs, le proche et le lointain ? Les règles qui prévalent sur la scène intérieure doivent pouvoir s'appliquer à l'extérieur, dès lors que le mur qui séparait l'intérieur de l'extérieur est remplacé par un écran.

Cette nouvelle géographie existentielle explique la joie sans mélange avec laquelle la société civile mondiale accueille l'affaiblissement actuel de la souveraineté et l'émergence d'un ordre public international qui limite la liberté d'action des États en les soumettant à des obligations et à des règles qu'ils n'ont pas nécessairement élaborées eux-mêmes. Cet enthousiasme, cependant, ne doit pas nous faire perdre la mémoire. À décrire ce processus comme le passage triomphal des ténèbres à la lumière, à s'extasier de voir l'humanité sortir enfin de l'âge préjuridique, on est injuste envers la souveraineté. Tout ne se ramène pas à l'édifiante alternative entre le (mauvais) particulier et l'universel (merveilleux) ou entre le réalisme des rapports de force, de la raison d'État, de la diplomatie secrète et l'aspiration morale à un État de droit planétaire.

« Malheur au roi qui reste sourd à la voix de Dieu le pressant de tuer les hérétiques ! Tu ne dois pas faire la guerre pour toi, mais pour Dieu [1] », disait à Ferdinand II

---

1. H. Kissinger, *Diplomatie*, Fayard, 1996, p. 51.

le conseiller impérial Caspar Scioppus. C'est fort de cette injonction que l'héritier de la dynastie des Habsbourg entreprit, en 1618, d'écraser le protestantisme et d'établir son autorité sur les princes récalcitrants d'Europe centrale. Mais Ferdinand II trouva sur son chemin un prince de l'Église qui plaçait les intérêts de la France au-dessus des intérêts religieux. Pour éviter qu'après l'Espagne, la Franche-Comté, les Pays-Bas et le duché de Lorraine le nord de l'Allemagne ne tombât, à son tour, sous la domination des Habsbourg, le cardinal de Richelieu se rangea sans hésiter aux côtés des protestants. Ainsi la vieille notion médiévale de « valeurs morales universelles » céda-t-elle la place aux concepts de raison d'État et d'équilibre des forces. Et de la guerre de Trente Ans, l'un des conflits les plus destructeurs de l'histoire de l'humanité, émergea un nouveau système international qui reposait sur la reconnaissance mutuelle de la pluralité des instances souveraines. Système sans exemple et sans précédent où s'atteste la créativité historique du génie européen. Le souverain n'a personne au-dessus de lui, mais, à la différence de l'empereur, il a, à côté de lui, des égaux qui le regardent, qui le jugent, qui le défient, qui l'inquiètent, qui le mettent en question et qui, par leur proximité même, combattent sa tendance à s'enfermer dans ses propres critères. La vérité a commencé à peser moins lourd en deçà des Pyrénées quand on a su qu'au-delà elle était considérée comme une erreur. Et la guerre s'est *humanisée*. À partir du moment où personne ne peut se prévaloir d'accomplir la volonté divine car aucune souveraineté n'est plus sainte qu'une autre, il en va du conflit entre États comme du duel entre particuliers : la légitimité ne tient pas au contenu de la querelle, mais au respect des procédures qui circonscrivent sa mise en acte. Juste est désormais la guerre conforme au droit et non celle qu'on fait jusqu'à l'anéantissement de l'ennemi au nom d'une juste cause.

Les guerres mondiales et totales du xxᵉ siècle ont eu raison de ce dispositif. Mais les juridictions nationales qui s'arrogent la faculté de connaître des crimes de guerre, des crimes de génocide et des crimes contre l'humanité, quels que soient le lieu où ils ont été commis et les nationalités et lieux de résidence des accusés ou des victimes, ces juridictions ne retombent-elles pas dans les travers qu'a su dénoncer et déjouer en son temps le modèle politique de la souveraineté ? Ne sortent-elles pas de l'humanité commune au nom des exigences de l'humanité ? Qui, sinon Dieu, est doté d'une *compétence universelle* ?

Une plainte contre Ariel Sharon a été déposée en Belgique par plusieurs rescapés du massacre perpétré en septembre 1982 dans les camps de réfugiés palestiniens de Sabra et Chatila. Il n'est évidemment pas dans l'intention du magistrat bruxellois qui instruit cette plainte venue du Liban de faire la guerre au nom des valeurs morales universelles, mais de juger le responsable d'une atrocité en vertu de ce que Kant appelait déjà « la solidarité planétaire de l'humanité sur le plan du droit ». Ce faisant pourtant, c'est l'absolu qu'il réintroduit dans l'Histoire, comme les théologiens qui inspiraient Ferdinand II et comme les doctrinaires plus récents du *tout-politique*. Engagés dans une lutte à mort pour le bonheur et pour le salut de l'humanité, ces derniers nièrent farouchement l'existence d'un au-delà de la domination. Ils professaient donc un solide mépris pour le droit et sa prétention, selon eux, mystifiante, à séparer les ordres et à contrôler le pouvoir. Les voici aujourd'hui, eux ou leurs héritiers, réconciliés avec la chose juridique et c'est aux tribunaux qu'ils demandent d'entériner la coupure entre les hommes et les ennemis du genre humain.

De quoi s'agit-il avec l'imputation à Ariel Sharon d'un forfait perpétré par les forces libanaises dans une zone qui était alors sous le contrôle de Tsahal sinon de chasser officiellement Israël de l'humanité à travers la mise en accusation de son Premier ministre actuel et, face à ce crime continu, l'État juif, de soustraire à toute transaction, à tout compromis, à toute retenue, la juste cause palestinienne ? C'est, inquiétante ironie, la jurisprudence Nuremberg qui autorise cette expulsion. C'est une qualification forgée pour répondre à l'accaparement de l'humain par un État racial ou national qui fait de l'humanité non une condition partagée mais une propriété disputée. Enfin, paradoxe ultime, c'est le droit qui se laisse, à son tour, envahir par la démesure et qui, au lieu — comme c'est son rôle — de fixer des limites, travaille, avec un zèle renversant, à leur disparition.

De la négation d'autrui
comme culture de l'Autre

On n'aurait jamais l'occasion de rire à la lecture des journaux sérieux, s'il n'y avait les experts et leur étourdissante logomachie. Invité à faire la lumière sur la forte croissance des agressions dans les lieux publics, le sociologue Didier Lapeyronnie, professeur à l'université Bordeaux-II, a résumé en ces termes le fruit de ces travaux : « On est dans une société ségrégative où il y a peu de lieux où les différentes couches de la population cohabitent. Les jeunes sortent peu de la banlieue et, quand ils le font, c'est souvent en groupe, en important leur mode de sociabilité et leur culture de provocation turbulente là où ils vont[1]. »

Culture de provocation turbulente : avec ce syntagme génial, le chercheur ne cherche pas seulement à se démarquer du commun des mortels et à justifier son Bac + treize en coiffant d'un label savant la triviale réalité des pieds sur la banquette, du tapage ou des injures. Il va plus loin que Trissotin. Il liquide, sans autre forme de procès, la mémoire philosophique déposée dans la langue naturelle. Depuis que Cicéron a transféré au

---

1. D. Lapeyronnie, *Le Monde*, 17.07.2001.

monde de l'âme ce verbe initialement employé pour les travaux des champs, *cultiver*, c'est instruire, perfectionner, dégrossir, polir : la culture met en forme l'être brut, elle le déprend de lui-même, elle lui enseigne à brider sa spontanéité envahissante et à dire : « Après vous ! » Il faut donc avoir perdu tout lien avec le motif millénaire du soin de l'âme pour culturaliser la goujaterie, sans l'ombre d'un embarras ou d'un scrupule.

L'élargissement du concept est certes antérieur à cette pompeuse trouvaille. Il remonte à la critique romantique des Lumières et à l'idée que la culture en l'homme n'est pas la faculté de surmonter toute particularité, mais la communauté particulière dans laquelle il s'inscrit, la tradition qui dépasse son intelligence, qui anticipe sa volonté, qui façonne, quoiqu'il en ait, sa manière de sentir, de désirer et même de percevoir. On aurait tort, cependant, de ranger dans cette lignée les actuels spécialistes du social. Leur « culture de la provocation turbulente » ne relève pas davantage de Novalis que de Cicéron ou de Condorcet. En remplaçant la *culture générale* par la *culturalisation généralisée*, ils n'ont pas pour ambition de rappeler l'importance, la grandeur et la diversité des héritages à des révolutionnaires impatients d'en finir avec l'inégalité. Ce qui les anime, au contraire, c'est la volonté de radicaliser et de concrétiser l'égalitarisme abstrait des droits de l'homme en divulguant l'équivalence de toutes les pratiques humaines. Pour le dire autrement : la culture, à l'âge du culturel, est une forme sans matière ou une matière sans forme. Elle n'a plus de sol à labourer. Elle ne s'oppose à aucun comportement. Elle ne se conquiert pas davantage sur la paresse ou la prostration qu'elle ne s'extrait de l'ignorance ou du conformisme. Elle se taille, sans coup férir, un empire universel. Et s'il n'y a rien qui ne soit culturel, il n'y a rien non plus qui dépasse et qui puisse légitimement se dire supérieur à quoi que ce soit.

Aussi le sociologue est-il scandalisé quand un ministre s'aventure à désigner sous le nom de *sauvageons* les adeptes les moins contrôlables de la « culture de la provocation turbulente ». Parce qu'il ne conçoit plus la culture comme une ascèse mais comme un donné, il juge insultants et racistes des propos qui n'accordent pas à tous, sans exception ni examen, les bénéfices du culturel.

Quelquefois, néanmoins, les turbulents chargent la barque au point de rendre impossible le recours à la périphrase lénifiante. Pour qualifier les incendies d'écoles maternelles, la terreur exercée sur les voisins indociles ou les agressions contre les médecins, il n'y a plus de culture qui tienne : on est obligé d'appeler la violence par son nom légitime même quand on dirige un centre de recherches en sociologie. Mais ce qui continue à distinguer le chercheur du tout-venant, c'est sa capacité à traverser les apparences et à voir dans cette violence non une action répréhensible, mais une réaction compréhensible à l'abandon, la misère, l'injustice, la domination et les privilèges.

En situant la société au fondement de la subjectivité, le romantisme infligeait un démenti salutaire aux humains tentés de croire qu'ils ne dépendaient que d'eux-mêmes et de se prendre pour des dieux. En plaçant la société au fondement de la criminalité, le sociologue contemporain présente les hommes (ceux, du moins, qui n'incarnent pas la Puissance) comme des *anges maltraités*. Quelle que soit, par ailleurs, l'obédience théorique dont cet expert se réclame, il met son savoir au service de la « défatalisation » du monde. Il ne dévoile les déterminismes qui font marcher les individus que pour mieux concourir à leur élimination. Le mal n'est pas dans la nature, la corruption de l'âme découle des effets corrupteurs de la société, il est donc possible d'en venir à bout en changeant cette dernière : tel est son évangile, telle est la bonne nouvelle humaniste que porte le chercheur et qu'il prêche, de concert avec le rappeur :

« Je ne suis pas un leader, simplement le haut-parleur,
D'une génération révoltée prête à tout ébranler
Même le système qui nous pousse à l'extrême
Mais NTM Suprême ne lâchera pas les rênes
Épaulé par toute la jeunesse défavorisée
Seule vérité engagée : le droit à l'égalité [...]
Oh oui, c'est triste à dire, mais tu n'as pas compris
Pourquoi les jeunes de mon quartier vivent dans cet
                                    état d'esprit

La délinquance avance et tout ceci a un sens
Car la violence coule dans les veines de celui qui a la
haine[1]. »

Comment rendre à celui qui a la haine sa plénitude
angélique ? En s'attaquant aux causes. Et d'abord à
l'école, cette grande pourvoyeuse d'exclusions : « Il est
urgent [...] de reconsidérer fondamentalement le fonctionnement de l'école afin de briser le monopole d'une
conception scolastique de l'excellence intellectuelle qui
hiérarchise dès l'enfance la valeur individuelle et le destin social des individus au lieu de former des citoyens
complets[2] », écrit un collègue de Didier Lapeyronnie,
Laurent Mucchielli, chercheur au CNRS (CESDIP).
Pour le sociologue, la violence procède de l'inégalité et
l'inégalité du trop de culture, c'est-à-dire d'aristocratie
qu'il y a encore dans le culturel. Son inspirateur est
donc Rousseau, le premier philosophe qui ait fait
porter à l'oppression le chapeau de toute la méchanceté
répandue sur la terre. Mais rien ne reste de la beauté
des commencements chez ce rousseauiste tardif qui
table sur le triomphe du nihilisme pour résoudre définitivement le problème humain. Le rire s'étrangle.

---

1. NTM, *Le Monde de demain*, cité dans L. Mucchielli, *Violences et Insé-
curités, fantasmes et réalités dans le débat français*, La Découverte, 2001, p. 111.
2. L. Mucchielli, *ibid.*, p. 135, 136.

Le sermon sur la console

L'effondrement de l'espérance communiste ayant rendu l'idée d'une société radicalement différente presque impossible à penser, nous nous sommes crus, avec François Furet, « condamnés à vivre dans le monde où nous vivons[1] ». Trompeuse clairvoyance : après tant d'illusions perdues, c'est de cette désillusion finale qu'il nous faut maintenant nous dégager. Le monde où nous vivons est lui-même en train de changer de base. Au moment où la politique renonce, jusque dans sa version la plus radicale, aux idéologies de la table rase et de l'homme nouveau, la technique fait la révolution et détache spectaculairement l'humanité contemporaine de toutes les humanités antérieures. Dans son dernier livre, Michel Serres donne le nom d'hominescence à cette mutation anthropologique et il en énumère passionnément les composantes. Le corps ? « Une biotechnostructrure » qui nous fait sortir de l'âge ingrat de la nécessité pour entrer dans celui, enivrant, de tous les possibles. Le lieu ? une prison dont nous délivre l'abolition des distances. Ici, là :

1. F. Furet, *Le Passé d'une illusion, Essai sur l'idée communiste au XXe siècle*, Robert Lafont/Calmann-Lévy, 1995, p. 572.

quelle importance, à l'heure de l'accès de tout, tout de suite, à tout le monde ? Avec le téléphone mobile et l'ordinateur portable, l'adresse elle-même se délocalise. Le prochain ? Pour celui qui vit en temps réel dans un espace virtuel, ce mot perd le sens étroitement territorial qu'il avait à l'époque de l'autochtonie. Le voisin, le prochain, c'est potentiellement « la population mondiale entière[1] ». La nature ? Nous y étions plongés. Voici que nous la produisons. Autrefois naturés, désormais naturants, nous tendons à devenir causes des plantes, des bêtes, de nous-mêmes. Il n'est plus guère de nouveaux vivants qui ne soient, au moins pour partie, un objet technique. L'*ego*, cultivé dans le silence et l'intimité de ses quatre murs, sera bientôt une curiosité ethnographique pour l'*écho* connecté que nous sommes, et l'on ne peut même pas dire que nous partagions la condition terrestre de nos prédécesseurs en humanité, car, maintenant que l'agriculture a cessé de fournir le modèle de l'activité humaine et de son rapport au monde, « la Terre, au sens de planète photographiée par les cosmonautes, prend la place de la terre, au sens de lopin quotidiennement travaillé[2] ».

C'est ce bouleversement de la condition humaine qui, par-delà les problèmes conjoncturels, met en porte-à-faux l'école et ses vieux murs. Représentants des morts, tournés par vocation vers ce qui fut, les professeurs traditionnels croient encore que nous serons

---

1. M. Serres, *Hominescence*, Éditions Le Pommier, 2001, p. 244.
2. *Ibid.*, p. 90.

« des hommes comme nous le fûmes », alors que « nous devenons des hommes comme nos enfants l'entendront[1] ». Truchements dévoués mais désuets, ils ne se rendent pas compte que ces enfants à qui ils disent « voici notre monde » en ouvrant leurs livres tiennent déjà, grâce aux dernières merveilles de la technologie, le monde dans la paume de la main[2]. Et puis de quoi nous parlent ces livres auxquels ils sont si attachés ? Du temps où l'humain restait assujetti à l'humus et à la loi locale « génératrice d'exclusion et de conflits[3] ». Cette loi sévit encore comme en témoignent les « guerres lointaines, massacres, meurtres, catastrophes, accidents[4] » qui remplissent de leurs cadavres le journal écrit, oral ou télévisé. Mais ces nouvelles si monotones et si peu nouvelles occultent la bonne nouvelle et la vraie nouveauté que constitue l'ouverture d'une culture de paix par l'effacement des frontières et par la mise en contact, tous les matins, de « celui qui dit "oiseau" [...] avec ceux qui disent *Vogel, bird, ucello,* ou *passajo*[5] ».

La condamnation à vivre dans le monde où nous vivons n'a donc pas eu le temps de retentir : un dispositif mondial se met en place qui nous fait vivre non plus *dans* le monde mais *au-dessus,* en altitude, à une

---

1. *Ibid.,* p. 248.
2. M. Serres : « Par l'UMTS, le global se projette tout entier, pour tous, dans toute localité possible, à tout instant. Chacun maintenant, tenant en mains le monde... », *op. cit.,* p. 258.
3. *Ibid.,* p. 265.
4. *Ibid.,* p. 304, 305.
5. *Ibid.,* p. 297.

hauteur où les nuances, les qualités, les différences entre les situations cessent d'être perceptibles, et où rien ne reste du phénomène humain que la violence indistincte de l'homme englué, délimité, non encore touché par la grâce du *cyberamour*.

La Raison brouillée
avec elle-même

On s'inquiète des dangers que les organismes génétiquement modifiés feraient courir à la santé des
consommateurs. Mais la consommation n'est pas tout.
La vie est un bien qui ne doit pas nous faire oublier de
veiller aussi sur le monde et sur la terre. Pour justifier
l'arrachage d'un plant de maïs transgénique à Cléon-
d'Andran dans la Drôme, un responsable de la
Confédération paysanne a déclaré que ce nouveau type
de production « entrait en contradiction avec le désir
d'une agriculture *raisonnée* et non plus productiviste ».

Raisonné : ce mot en apparence si doux, si débon-
naire, disloque nos évidences et met à mal notre
manière habituelle de penser. Car ce n'est pas la magie,
mais bien au contraire la puissance du rationnel qui
franchit les barrières entre les espèces, qui remodèle ou
recombine la vie et qui fait de nous les auteurs quasi
divins « d'une nouvelle Genèse placée sous le signe de
l'efficacité et de la productivité[1] ». Seulement cette
rationalité conquérante risque de réduire encore le
nombre des paysans sur une terre désolée et d'esclava-

---

1. J. Rifkin, *Le Siècle biotech*, La Découverte, 1998, p. 35.

giser le peu qui reste en l'obligeant à se réapprovi-
sionner chaque année en graines brevetées chez l'une
ou l'autre des multinationales de l'agrochimie. L'extraordinaire accroissement technique du pouvoir humain
prive l'homme qui cultive de ce pouvoir immémorial :
ensemencer ses champs à partir de ses propres récoltes.
Les lumières dont nous avons besoin ne sont plus tout
à fait celles des Lumières.

Il y a même quelque mauvaise foi à ramener la situation où nous sommes au combat contre le préjugé
tenace ou l'obscurantisme toujours renaissant. Ce que
révèle en effet l'introduction progressive des organismes génétiquement modifiés sur le marché agricole,
c'est le divorce du raisonné et du rationnel. Notre
grande querelle qui a le salut du monde pour enjeu ne
met pas aux prises la raison lumineuse et les ténébreux
vandales, mais, scénario déroutant pour nous autres
modernes, les adjectifs désormais irréconciliables de la
Raison.

Les Écritures
de l'Humanité-Dieu

Ce qui nous sépare des Européens d'autrefois, qu'ils fussent chevaliers ou paysans, bigots ou esprits forts, bourgeois ou bohèmes, anciens ou modernes, artistes ou philistins, philosophes ou crédules, c'est la Bible. Ils en étaient imprégnés, nous en sommes indemnes. Elle peuplait leurs pensées, elle s'est absentée des nôtres. Ils étaient des héritiers, dociles ou rebelles, nous avons poussé le zèle de l'émancipation jusqu'à nous déshériter nous-mêmes. L'ignorance est le salaire de notre liberté. Le Livre qui fondait notre culture lui est devenu presque totalement étranger : ses paraboles ne parlent plus, ses héros ont pris la fuite, ses récits ne nourrissent aucun rêve, les toiles qu'elle a inspirées ne sont pas moins hermétiques que les tableaux abstraits : le déluge de l'oubli a recouvert ses généalogies, ses tribulations et ses fables. De ce qui fut, selon la formule de William Blake, le « Grand Code de l'Art », il ne reste rien sinon deux ou trois formules et quelques proverbes passés dans la langue commune. La langue, en effet, qui n'est pas seulement une structure, mais aussi un dépôt, porte encore la trace de ces écritures évanouies.

Porte ou portait ? Une nouvelle traduction française de la Bible vient de paraître[1], qui se démarque de toutes les autres par son mépris pour la mémoire des mots et même son acharnement à couler *l'arche de la langue*. Dans l'Évangile selon saint Matthieu dernière manière, nous ne disons plus : « À chaque jour suffit sa peine » ou : « Pourquoi vois-tu la paille dans l'œil de ton frère et non la poutre qui est dans le tien ? » mais : « Chaque jour a son lot de souvenirs et c'est bien assez » et : « Pourquoi vois-tu la paille dans l'œil de ton frère et non le morceau de bois qui est dans le tien ? »

Ce sabotage des vieux dictons serait légitime, ou, à tout le moins, compréhensible s'il répondait au besoin de revenir au texte et de lui rendre son tranchant. Mais tel n'est pas le cas. Confiée à une escouade d'écrivains flanqués chacun d'un exégète, et croyant ainsi marier l'audace stylistique avec la précision érudite, cette traduction accomplit, en réalité, le tour de force de malmener à la fois la Vulgate et l'original. La Vulgate est tranquillement congédiée et l'original impitoyablement nettoyé de tout ce qui pourrait arrêter, effaroucher et décourager le lecteur contemporain. On invite celui-ci non à recouvrer un trésor perdu mais, tel un touriste dans son autobus climatisé, à découvrir les Écritures sans jamais souffrir du dépaysement. Ainsi l'obligeant Matthieu ne dit plus « géhenne », mais « dépotoir ». L'avertissement du Christ : « Prenez garde aux hommes,

1. La Bible, Bayard, 2001.

ils vous livreront aux sanhédrins » devient, comme s'il émanait d'un micro-trottoir : « Prenez garde aux gens, ils vous feront des procès. » Et les pharisiens s'effacent, ce sont les « séparés » qui sont imperméables au « souffle » divin et qui rejettent l'incarnation. L'oubli est donc consacré par la littérature : cristallisée depuis deux mille ans autour de la figure du pharisien, la grande controverse judéo-chrétienne entre la lettre et l'esprit disparaît *sans mot dire*. Nous en savions encore trop, nous n'étions pas assez minces : nous voici poétiquement délestés de celui qui symbolisait pour les uns la sécheresse ou l'hypocrisie d'une piété purement formelle et pour les autres la préséance de l'étude sur le sentiment. Ce n'est pas tout. Le Jésus nouveau n'emploie qu'au compte-gouttes l'inquiétant vocable de « péché ». Il lui préfère celui d'« égarement », beaucoup plus compatible avec l'image d'un homme sorti de la condition de minorité où le maintenait l'ordre moral. Et au lieu de s'en prendre à Pierre, qui a peur de marcher sur l'eau, en lui disant : « Homme de peu de foi, pourquoi as-tu douté ? », il exprime sa déception dans une phrase intégralement psychologique : « Pourquoi es-tu aussi peu confiant ; pourquoi as-tu douté ? »

Péché : symptôme de la fragilité et de la faillibilité humaine, témoignage de notre incapacité à nous délivrer nous-même du mal. Égarement : excès romantique, oubli de soi, moment de folie, vertigineuse parenthèse. Foi : accueil de la hauteur, reconnaissance de l'absolu, abrupte dissymétrie d'un lien avec l'au-delà. Confiance :

modalité chaleureuse et sympathique de la relation intersubjective. Emportée par son élan, la traductrice de Matthieu a voulu remplacer le patriarcal « Notre Père » par un « Notre parent » moins masculin, moins écrasant, moins inégalitaire. Après d'âpres discussions, elle en a été empêchée. Mais cet ultime sursaut traditionaliste est l'exception qui confirme la règle de l'horizontalité. Car cette traduction, unanimement saluée comme « hérétique » et « dérangeante », ne prend des libertés avec le Dogme que pour noyer le message divin dans l'immanence démocratique.

Avec l'homme des droits de l'homme, l'humanité pense qu'elle a dit son dernier mot. Elle n'a plus rien à apprendre. Elle n'est éblouie que par elle-même. Elle se vit comme la meilleure humanité. Élevée au-dessus de préjugés de race ou de classe, délivrée de ses anciennes œillères, elle croit avoir *épousé* l'universel, c'est-à-dire la vision divine d'une raison sans limites. Et cette foi a la force de l'évidence. Aucun livre ne peut l'entamer. Si donc la littérature profane investit aujourd'hui le texte sacré, ce n'est pas pour subvertir quoi que ce soit ni, plus modestement, pour corriger notre négligence vis-à-vis du passé ; c'est pour mettre, avec une assurance toute olympienne, la pendule biblique à l'heure de l'Humanité-Dieu.

L'un de nos plus éminents philosophes qui est aussi arrière-grand-père passait cet été ses vacances en famille. Le papa de l'un de ses arrière-petits-enfants lui dit un jour : «Tu sais, grand-père, je ne peux pas lire tes livres, tu utilises des mots trop compliqués.» Étonné, mais bienveillant, le philosophe prit le temps de la réflexion et répondit qu'il ne se souvenait pas d'avoir forgé ni même employé dans ses écrits un seul néologisme. « C'est quoi un néologisme, grand-père ? »

Qu'est-ce qui se passe ? Les mots manquaient le 11 septembre 2001 devant les images des deux avions civils se fracassant l'un après l'autre sur les tours jumelles du World Trade Center. Et les mots manquent toujours. Les précédents et les concepts qui viennent d'abord à l'esprit sont tous étrangement défectueux. Ce nouveau Pearl Harbor *n'est pas* le bombardement surprise d'une base militaire. Cet acte de guerre *n'est pas* une relation d'État à État. Son instigateur n'a pas d'adresse. Et l'ennemi visé — sioniste ? impérialiste ? judéo-chrétien ? — est lui-même insaisissable. Cet attentat, enfin, ouvre un chapitre inédit dans l'histoire pourtant déjà considérable du terrorisme.

Il y a longtemps que les poseurs de bombes ne sont plus inhibés par les scrupules de ces « meurtriers délicats [1] » qui, à Moscou en 1905, reportaient l'assassinat du grand-duc Serge parce que, dans sa calèche, au jour dit, se trouvait sa nièce avec ses petits-neveux et que, comme le fait dire Camus dans *Les Justes* à l'une des membres de l'organisation, « même dans la des-

---

1. A. Camus, *L'Homme révolté,* in *Essais,* Gallimard, « Bibliothèque de la Pléiade », 1965, p. 571.

truction, il y a des limites [1] ». On a vu, depuis, la discrimination entre l'innocent et le coupable sombrer dans un oubli vengeur. On a vu des voitures piégées exploser devant des écoles. On a vu des camions fous bourrés de dynamite s'écraser devant des ambassades. On croyait donc que le XXe siècle nous avait légué un formulaire complet des tueries et des catastrophes. On savait que le pire pouvait arriver. On se disait prêt à tout. On avait tort. Ce *tout* n'était pas tout, il n'englobait pas l'événement qui vient de se produire. Il y a pire que le pire. Il y a des limites qui n'émergent à la conscience qu'une fois franchies dans la réalité.

Notre savoir immense, notre lourde mémoire et notre imagination débridée ont été pris de cours. Et c'est encore rapatrier à l'intérieur sinon de l'humanité commune du moins de l'humanité connue les hommes qui ont entraîné dans leur suicide des centaines d'autres hommes pour en exterminer des milliers, que de les désigner sous le nom de *martyrs* ou de *kamikazes*. C'est sa vie non celle des autres que le martyr immole à sa foi ou à son idéal. Quant au pilote japonais qui choisissait de fondre sur les porte-avions ennemis, il ne transgressait pas les lois de la guerre : fasciné par l'art martial de bien mourir, il portait ses lois jusqu'au paroxysme inquiétant du sacrifice consenti.

Qu'est-ce qui se passe ? Qui sont ces hyper-terroristes ? De quel bois sont-ils faits ? Où trouvent-ils la

---

1. *Id., Les Justes*, Gallimard, 1950, p. 84.

ressource de planifier avec une telle minutie, de réaliser avec un tel sang-froid et de mettre en images avec une telle virtuosité médiologique une opération sanguinaire qui inclut leur propre anéantissement ? De quelle temporalité relèvent-ils ? Quel nom donner à cet alliage inouï du massacre et de l'abnégation, de la glace et du feu, de la rationalité la plus performante et du fanatisme le plus inexpiable ? Les moyens ici utilisés pour atteindre une fin politique suscitent, outre l'indignation morale, une sorte de stupeur ontologique. Ils révulsent la conscience et plongent l'intelligence la plus compréhensive dans un état de sidération.

Comprendre un phénomène, en effet, c'est, dans la grande tradition de la critique sociale inaugurée par Rousseau, remonter à ses causes. Derrière les atrocités qu'il arrive aux opprimés de commettre, l'intelligence progressiste sait voir le mal dont ils sont victimes. Les crimes terroristes sont, d'un même geste herméneutique, expliqués et excusés par le *crime originel* de la domination. La philosophie à l'œuvre dans un tel discours ne se contente pas de délier les êtres humains de leur « dette d'expiation » envers la justice divine. Elle n'en reste pas au renversement par le principe d'autonomie du *péché originel*, cette ténébreuse idée d'une culpabilité héritée du premier homme. Constatant que, « né libre », l'homme « est partout dans les fers », elle en conclut généreusement qu'il n'y a pas de violence sur la terre qui ne réponde à cette servitude ou qui n'en soit l'instrument. Le terroriste, dit-elle, n'est terrible que parce qu'il est terrifié : sa férocité naît de sa rébellion contre le sort abominable qui lui est fait. Son déchaînement est à la mesure de son désespoir. Plus il est malheureux, humilié, asservi et plus il est cruel. Sartre déploie cette logique implacable dans sa réponse à *L'Homme révolté* de Camus et dans sa préface aux *Damnés de la terre* de Frantz Fanon. Au premier, il écrit : « Toute la valeur qu'un opprimé peut avoir à ses propres yeux, il la met dans la haine qu'il porte à d'autres hommes [1]. » Au nom du second, il proclame : « Les marques de la violence, nulle douceur ne les effacera, c'est la violence qui peut seule les détruire [2]. »

Tout récemment encore, le dogme antithéologique du crime originel innocentait et même magnifiait les terroristes palestiniens. « L'échec des négociations, lisait-on dans la presse, les sanctions et humiliations individuelles et collectives infligées par Israël, les meurtres ciblés, un horizon économiquement et humainement bouché et une Autorité palestinienne jugée pour le moins incapable conduisent les Palestiniens à se donner un pouvoir dans une mort voulue pour tuer un grand nombre d'Israéliens [3]. » Un sociologue donnait à cet effort de compréhension le cachet de la distance et de l'objectivité scientifiques en disant qu'il faut être « dans l'impossibilité d'arriver à quoi que ce soit par des moyens

1. J.-P. Sartre, *Situations*, t. IV, Gallimard, 1964, p. 120.
2. *Id.*, Préface à Frantz Fanon, *Les Damnés de la terre*, La Découverte, 1985, p. 16.
3. M. Naïm, « Enquête sur les kamikazes », *Le Monde*, 08.09.2001.

traditionnels[1] » pour ne pas même songer à s'excepter du carnage. Si meurtrier fût-il, l'attentat était comme ennobli voire sanctifié par la mort volontaire.

Et le réalisme œuvrait en nous avec le progressisme à cette consécration. Tandis que notre Rousseau intime, convaincu que la servitude est « la source de tous les maux du genre humain[2] », exonérait les moyens par les causes, le Hobbes que nous sommes aussi ajoutait que la plus naturelle et la plus universelle de toutes les passions étant la peur de la mort violente, ceux qui s'affranchissaient de l'instinct de conservation au point de devenir des bombes humaines devaient n'avoir aucune autre issue. Ainsi l'opinion s'adossait-elle aux deux paradigmes contradictoires de l'immuable nature de l'homme et de la rédemption historique de l'humanité pour diagnostiquer le désespoir, c'est-à-dire pour attribuer la responsabilité des attentats-suicides non à leurs auteurs mais à leur cible, et pour affirmer avec le poète palestinien Mahmoud Darwich : « Le problème de la nouvelle relation des Palestiniens avec la mort ne peut être réglé que si on leur ouvre les portes de la vie[3]. »

Les deux philosophies qui se partagent notre âme ont été réduites au silence le 11 septembre 2001. Déshérités, désespérés, poussés à bout par la misère ou le mépris, les richissimes commanditaires et les exécu-

1. *Ibid.*
2. J.-J. Rousseau, fragment de la lettre à C. de Beaumont, in *Œuvres complètes*, IV, Gallimard, 1969, « Bibliothèque de la Pléiade », p. 1019.
3. Cité dans *Le Monde,* 08.09.2001.

tants diplômés de cette apocalypse imperturbable ?
Non. Impossible de prononcer l'absolution du crime
au nom du crime originel dont il serait la réplique ou
l'effet, sauf à basculer dans l'ignoble, tel ce lecteur du
Monde qui, choqué par la formule « nous sommes tous
américains », écrit que, dans le World Trade Center
« symbole d'une mondialisation à tout le moins discu-
table » et du « renoncement aux accords de Kyoto », « il
y avait certainement de bons époux, de bons pères, mais
les décisions qu'ils prenaient pouvaient conduire aussi
au désespoir et à la mort de ceux qui n'avaient pas eu la
chance d'être "du bon côté". »
    Un événement a eu lieu que l'interprétation échoue à
dissoudre. Une rage s'est exprimée qu'il est devenu
scandaleux de noyer dans ses causes. Une altérité a
surgi qui ne se laisse pas réduire à la figure du meurt-
de-faim ou du damné de la terre. La réalité n'est pas
seulement économique et sociale. Il y a un ennemi. Et
sans aucune considération pour la fin de non-recevoir
que l'Occident ne cesse d'opposer au thème du choc
des civilisations en s'appuyant sur les arguments
mutuellement exclusifs de l'équivalence des cultures et
de la mondialisation, cet ennemi a déclaré la guerre à la
civilisation occidentale. Ce n'est pas l'Occident, en
effet, qui désigne son ennemi. C'est lui qui nous
désigne et qui nous érige, nous autres Occidentaux,
quel que soit notre âge, notre sexe, notre situation,
notre nationalité ou notre couleur de peau, en petits
soldats de la civilisation honnie. Il le fait dans la langue

islamique du *Djihad*, mais aussi dans celle, impeccablement démocratique, des droits de l'homme, comme l'a montré la conférence des Nations unies « contre le racisme, la discrimination raciale, la xénophobie et l'intolérance » qui s'est réunie à Durban, en Afrique du Sud, du 31 août au 7 septembre. Un double rapt a eu lieu pendant ces journées horribles : celui de la réunion elle-même par le monde arabo-musulman et sa haine sans limites du « sionisme » ; celui de la rhétorique universaliste par le rejet d'autrui.

La soumission des individus aux lois de l'hérédité ; l'absolutisation des différences collectives ; l'établissement d'un lien entre le patrimoine génétique des groupes humains et les aptitudes intellectuelles ou les dispositions mentales de leurs membres, ces raisonnements et les comportements qui en découlent n'ont pas été seulement dénoncés avec toute la gravité que requiert notre époque posthitlérienne, ils ont été imputés avec une colère inextinguible aux nouveaux objets de la stigmatisation. Israël, l'Amérique et l'Europe étaient sommés de répondre de leurs agressions actuelles et passées contre la communauté humaine. À la civilisation occidentale, il fut reproché d'avoir bâti sa suprématie universelle sur une pyramide de génocides d'une barbarie sans précédent dans l'Histoire et de ne pas vouloir accorder aux descendants des esclaves les réparations que les Juifs avaient su obtenir pour « leur » holocauste. Et si l'on criait : « *One Jew, one bullet !* [un Juif, une balle] », c'était en référence au vieux slogan de l'ANC et en réaction au féroce régime d'apartheid installé sur la terre de Palestine. La période raciste du déni d'humanité s'est définitivement close à Durban : l'antiracisme a vaillamment pris le relais. On a beau faire et solliciter l'Histoire en tout sens, il est difficile d'échapper à l'idée qu'avec ce double événement — idéologique (Durban) et criminel (Manhattan) — le XXIe siècle vient de frapper les trois coups.

Au pays
du progressisme déconcertant

Je me trompais : la métaphysique du crime originel est inébranlable. Trois semaines ont passé depuis le 11 septembre et déjà la stupeur se dissipe. Les mots reviennent, et, avec eux, les vieux schémas. L'examen de conscience prend la relève de l'épouvante. À peine entrons-nous dans la période du deuil que la pensée progressiste s'affaire à instruire le procès de la puissance américaine. Il n'y a pas de fumée sans feu, dit le Tribunal, pas de révolte sans bons motifs, pas de terrorisme pour rien. L'Amérique n'a été si spectaculairement frappée que parce qu'elle est coupable. Coupable de vouloir gérer à elle seule toute la planète. Coupable d'étrangler la population irakienne par un embargo qui a déjà fait des centaines de milliers de morts. Coupable de n'avoir pas signé le protocole de Kyoto visant à réduire l'émission de gaz à effet de serre. Coupable d'avoir fabriqué les talibans, et Oussama Ben Laden. Coupable d'avoir laissé ses créatures réduire à l'état de poussière les deux bouddhas géants de la vallée de Bamiyan sans réagir autrement que par des protestations formelles. Coupable de faire payer aux Arabes un crime commis par les Européens en imposant la présence au Proche-Orient de l'État d'Israël. Coupable, quand elle ne l'instrumentalise pas, d'humilier l'Islam. Coupable de ne pleurer que ses propres victimes et de se laver les mains de catastrophes bien plus graves, comme le génocide du Rwanda, en les baptisant « crises humanitaires ». Coupable donc de surenchérir par le racisme lacrymal sur son impérialisme sans pitié.

On se prend à penser, devant ce réquisitoire monumental, qu'il n'existe sur la terre aucune injustice dont le pays de la bannière étoilée puisse se dire innocent. L'intégralité du mal lui revient, à lui et à nous, nous Occidentaux, nous Européens, dans la mesure où nous faisons bloc avec les Américains et où nous versons les mêmes sanglots discriminatoires. Aux yeux de ceux qui conçoivent la politique mondiale sur le modèle classe contre classe de la *guerre civile*, il ne saurait y avoir de barbarie *extérieure* ni a fortiori d'ennemi *commun* aux deux entités engagées dans une lutte inexpiable. L'Occident occupe nécessairement toute la place : l'autre ne peut être qu'un comparse, un figurant, un ectoplasme ou au mieux un symptôme.

Cette agressivité pénitente reconduit, en l'inversant, l'arrogance ethnocentrique qu'elle stigmatise et elle prend, par surcroît, de singulières libertés avec les vérités factuelles. Pour que la guerre civile mondiale résume effectivement le monde, il faudrait d'abord que les deux seules actions militaires entreprises par l'OTAN depuis sa création n'aient pas eu pour objectif de rompre avec l'inertie de la communauté internationale ou, plus précisément, des non-Occidentaux face à la situation désespérée des peuples majoritairement *musulmans* de Bosnie-Herzégovine et du Kosovo. Et puis, il faudrait surtout que la colère islamiste soit dirigée contre ce que l'Occident a de pire : la rapacité financière, la consommation effrénée, l'égoïsme du bien-être. Or, les commanditaires des pieux carnages du 11 septembre et leurs admirateurs n'ont aucunement le souci de remédier à la misère du monde ou de sauvegarder la planète : le réchauffement climatique est le cadet de leur souci. Ils haïssent l'Occident non pour ce qu'il a de haïssable ou de navrant, mais pour ce qu'il a d'aimable et même pour ce qu'il a de meilleur : la civilisation des hommes par les femmes et le lien avec Israël.

C'est le destin claquemuré qu'ils font subir aux femmes, le mépris où ils les tiennent et le désert masculin de leur vie qui rend fous les fous de Dieu : fous de violence, fous de hargne et de ressentiment contre le commerce européen entre les sexes, contre l'égalité, contre la séduction, contre la conversation galante ; fous, enfin, du désir frénétique de quitter la terre pour jouir de l'éternité dans les jardins du paradis où les attendent et les appellent des jeunes filles « parées de leurs plus beaux atours ».

Quant au lien profond, malgré toutes les vicissitudes, entre les États-Unis et Israël, il a donné assez de crédit au président Carter pour négocier, en 1978, la restitution à l'Égypte de sa souveraineté sur le Sinaï, et assez de poids au président Clinton, vingt-deux ans plus tard, pour convaincre le gouvernement d'Ehoud Barak de partager Jérusalem suivant la formule : tout ce qui est arabe est palestinien, tout ce qui est juif est israélien. Shlomo Ben-Ami, le principal négociateur israélien de Camp David, a raison d'écrire : « Aucun pays européen, aucun forum international n'a fait pour la cause palestinienne ce que Clinton a fait pour elle[1]. » Mais son chef, Yasser Arafat, voulait plus que ce partage de Jérusalem et que la création d'un État palestinien. Avec la revendication du droit au retour, il a laissé entendre aux Israéliens que leur État usurpateur ne serait quitte de son *péché de genèse* qu'en cessant, avec le temps, d'être juif.

Peut-être les protagonistes seront-ils capables ou obligés de s'arracher à la logique de l'affrontement. Peut-être est-il trop tard. Une chose est sûre, en tout cas : aux yeux des islamistes qui ne désirent rien tant que la montée aux extrêmes, l'Amérique incarne la *menace du compromis*, c'est-à-dire le sacrifice pour la paix d'une partie de la terre de Palestine.

C'est donc mentir que de motiver et de justifier la fureur du sentiment antiaméricain par le soutien indéfectible de la Maison-Blanche à la politique « fasciste », « colonialiste », voire « génocidaire » d'Israël. Quant à prétendre, comme tel expert en géostratégie entendu

---

1. S. Ben-Ami, *Quel avenir pour Israël ?*, PUF, 2001, p. 274.

l'autre jour à la télévision, que le mouvement palestinien, pacifique et démocratique dans l'âme, est contraint aux attentats-suicides par la brutalité de l'occupant, c'est délivrer un brevet de légitime défense aux combattants de la guerre sainte qui affirment que « tout Juif est une cible et doit être tué ».

Ces deux explications de notre marasme entérinent l'idée qu'Israël, suppôt des États-Unis (à moins que ce ne soit l'inverse), est le cancer du monde, le terreau de la terreur planétaire, le réservoir de la révolte et de la haine, la cause inépuisable d'une violence à la mesure de ses agissements, bref que la piste du crime originel remonte à l'entité Washington-Jérusalem. Moralité : ce n'est plus le sentiment de supériorité religieuse, raciale ou nationale qui, sous nos latitudes, fait les antisémites, c'est la honte, la contrition, une mémoire en forme de casier judiciaire et le remords d'appartenir au camp des oppresseurs. Ainsi s'égare la mauvaise conscience ; ainsi bascule dans la monstruosité cette aptitude à se mettre soi-même en question qui a longtemps constitué le meilleur de l'Occident, son trait distinctif et sa principale force spirituelle.

La gauche de gauche
et les virgules noires

Après d'autres et avec force, Jacques Derrida écrit qu'« à l'idée communiste, à l'idéal de justice qui a guidé et inspiré tant d'hommes et de femmes communistes, tous étrangers à quoi que ce soit du genre "goulag", on ne fera jamais correspondre en parallèle, en analogue ou en équivalent, voire en opposé comparable le moindre "idéal" nazi de justice [1] ». *Mein Kampf,* autrement dit, conduit directement à Auschwitz, alors qu'entre la chaleur de l'idée communiste et les glaces de la Kolyma, il y a un abîme. Parler de totalitarisme, affirme Derrida, ce n'est pas faire œuvre de compréhension, c'est faire acte d'allégeance à l'ordre libéral en étouffant la différence pourtant criante entre une perversion accomplie et le projet perverti de mettre fin à l'exploitation et à la misère.

Mais Derrida a-t-il lu *Leur morale et la nôtre,* ce manuel stalinien écrit par Léon Trotski en 1938, c'est-à-dire deux ans avant son assassinat ? Aux yeux du vieux bolchevik exilé et pourchassé, l'idéal que représente l'abolition du pouvoir de l'homme sur l'homme

---

1. J. Derrida, É. Roudinesco, *De quoi demain…*, Dialogues, Fayard/Galilée, 2001, p. 137.

justifie et même exige le crime, c'est-à-dire l'« abolition violente de tous les liens moraux entre les classes ennemies [1] ». Derrida a-t-il oublié le zèle compatissant avec lequel Robespierre a voulu « substituer la morale à l'égoïsme [2] » ? Ou son vibrant plaidoyer pour l'exécution *sans procès* de Louis XVI : « Les peuples ne jugent pas comme les cours judiciaires ; ils ne rendent point de sentence, ils lancent la foudre ; ils ne condamnent pas les rois, ils les replongent dans le néant ; et cette justice vaut bien celle des tribunaux [3]. » Et les militants ou les sympathisants de la gauche de gauche qui, dans toute l'Europe, ont réagi par un sardonique « les Américains ne l'ont pas volé ! » devant l'insoutenable spectacle de « ces corps courbés comme des virgules noires, sautant des fenêtres du World Trade Center [4] », par quoi étaient-ils habités sinon par la haine des oppresseurs et la solidarité avec leurs victimes ? « Tendresse pour les maîtres de l'univers !... Grâce pour les scélérats... Non, fulminaient-ils, grâce pour l'innocence, grâce pour les faibles, grâce pour les malheureux, grâce pour l'humanité irakienne et palestinienne... » Rien d'autre que « l'irrépressible joie d'être communiste [5] » et la rébellion vécue comme « projet d'amour [6] » n'a inspiré

1. L. Trotski, *Leur morale et la nôtre*, Éditions de la Passion, 1994, p. 22.
2. M. Robespierre, *Pour le bonheur et pour la liberté*, Discours, Éditions La Fabrique, 2000, p. 289.
3. *Id.*, *Textes choisis*, 2, Éditions sociales, 1973, p. 74.
4. *Le Monde 2*, hors-série, septembre 2001, p. 45.
5. Michael Hardt et Toni Negri, *Empire*, Éditions Exils, 2000, p. 496.
6. *Ibid.*

à Toni Negri, l'un des penseurs les plus en vue du mouvement mondial contre la mondialisation capitaliste, cette élégie fracassante : « J'aurais été *bien plus content* si, le 11 septembre, le Pentagone avait été mis à terre et s'ils n'avaient pas manqué la Maison-Blanche — au lieu de voir s'effondrer les Twin Towers remplies de milliers de travailleurs américains parmi lesquels, paraît-il, se trouvaient presque un millier de clandestins. Mes adversaires sont les *impériaux,* quelle que soit leur nationalité[1]. »

Derrida a mille fois raison de récuser une équivalence qui aboutirait à mettre sur le même plan le souci révolutionnaire de l'Autre et la sacralisation de la race par les nazis. Mais l'unique conclusion qu'on est en droit de tirer de cette différence béante, c'est que l'idéologie du sang et le déchaînement de la force vitale n'ont pas le monopole de l'inhumain. La morale elle-même engendre la Terreur quand, dépeuplant l'univers de tout ce qui n'est pas l'Autre et son ennemi, elle ne rencontre jamais de problèmes ou de dilemmes mais seulement des scandales. « Je ne sais point discuter longuement où je suis convaincu que c'est un scandale de délibérer[2] », disait encore Robespierre dans son discours sur le parti à prendre à l'égard du roi.

La méchante grimace antiaméricaine qui s'est imprimée sur tant de visages dès le lendemain du cataclysme le démontre une nouvelle fois : la monstruosité la plus

---

1. Toni Negri, « C'est la lutte des talibans du dollar contre les talibans du pétrole », *Le Monde,* 4 octobre 2001.
2. M. Robespierre, *Textes choisis,* 2, *op. cit.,* p. 77.

commune résulte moins de la trahison d'un bel idéal que d'une *rupture idéaliste* avec l'humanité conçue comme pluralité immaîtrisable et avec la justice définie comme l'exercice, au cas par cas, de la perspicacité délibérative.

Réponse à Stefan Zweig 15 octobre

14 septembre 1930. Un séisme politique vient de se produire en Allemagne. Cent sept députés nazis siègent désormais au Reichstag. Ils étaient douze avant les élections. Hitler exulte. L'intelligentsia s'interroge. Refusant de céder au pessimisme et de lire « minuit moins une » sur le cadran de l'Histoire, Stefan Zweig affirme comprendre la révolte « peut-être malhabile mais au fond très naturelle de la jeunesse » contre l'indécision et la lenteur de la haute politique.

Cette compréhension de la révolte révolte Klaus Mann. Il a vingt-quatre ans et il réplique avec colère à la bienveillance herméneutique dont Stefan Zweig, qui entre dans la cinquantaine, croit devoir faire preuve envers ce que nous appellerions aujourd'hui sa classe d'âge : «Tout ce que fait la jeunesse ne nous montre pas le chemin de l'avenir. Moi qui dis cela, je suis jeune moi-même. Une grande partie des gens de mon âge — voire encore plus jeunes — ont fait, avec l'enthousiasme qui devrait être réservé au progrès, le choix de la régression. C'est une des choses que nous ne pouvons approuver sous aucun prétexte. Absolument aucun[1].»

1. K. Mann, *Le Condamné à vivre*, Denoël, 1999, p. 17.

Pour Klaus Mann, la révolte a toujours des raisons, mais on n'a pas toujours raison de se révolter : la radicalité ne peut être positive à elle seule et il ne saurait pas plus être question de chercher des excuses contextuelles à la rage nationale-socialiste que de la confondre avec l'insatisfaction des hommes civilisés devant la marche du monde. À la recherche de l'origine ou du sens caché, Klaus Mann oppose l'impératif moral et politique de ne jamais *noyer le poisson* : « Entre ces gens-là et nous, aucune alliance n'est possible. Ils seraient d'ailleurs les premiers à repousser à coups de matraque tout rapprochement avec nous. La psychologie permet de tout comprendre, même les coups de matraque. Mais cette psychologie-là, je ne veux pas la pratiquer. Je ne veux pas comprendre ces gens-là, je les rejette [1]. »

Il n'y a nul renoncement à la pensée dans cette grève de l'interprétation, mais un refus véhément et clairvoyant de laisser le fait social étouffer le scandale humain. Klaus Mann ne veut pas perdre, à force d'acharnement généalogique, le droit de dire non. Il entend exercer la faculté de juger et, pour ce faire, la préserver de la propension savante et indulgente à loger dans une chaîne causale les œuvres et les actions du nazisme conquérant.

« Une capitulation, disait Péguy, est essentiellement une opération par laquelle on se met à expliquer au lieu

---

1. *Ibid.*, p. 20.

d'agir. Les lâches sont des gens qui regorgent d'explications[1]. » Pas seulement les lâches, constate Klaus Mann : quand ils surmontent leur dégoût pour prendre les problèmes à la racine et rendre compte objectivement des choses dégoûtantes, les magnanimes aussi choisissent la voie de la capitulation.

Compréhensif et magnanime, Stefan Zweig ne le restera pas très longtemps. Dès leur arrivée au pouvoir, les hitlériens jetteront ses œuvres au feu avec celles de Thomas Mann, de Werfel, de Schnitzler, d'Einstein, de Freud ou de Wassermann. En 1934, il quittera son pays. Et c'est au Brésil, en 1942, que, désespéré par l'effondrement de l'Europe, il mettra fin à ses jours.

Avons-nous tiré la leçon de cette expérience ? Aujourd'hui, en tout cas, dans l'Europe cimentée par le serment de ne plus jamais se prosterner devant l'idole sanglante de la Race, la vigilance règne. La vigilance, c'est-à-dire la stratégie du cordon sanitaire, le rejet de ces gens-là, le refus de leur accorder des circonstances atténuantes. Que les « fachos » aient une enfance malheureuse, un père autoritaire ou pas de père du tout, que le train de l'Histoire les ait oubliés ou abandonnés, qu'ils souffrent d'être des laissés-pour-compte de la société postindustrielle, que leur passé soit traumatique, leur présent difficile et leur avenir incertain, peu importe en vérité : l'inflexible vigilance ne concède rien à la causalité psychologique, économique ou sociale.

---

1. C. Péguy, *Courriers de Russie*, in *Œuvres en prose complètes*, 2, Gallimard, 1988, « Bibliothèque de la Pléiade », p. 75.

Ne pas excuser, ne pas expliquer, consigner le mal dans la sphère de l'injustifiable, tels sont les principes qui inspirent son action. Les sentinelles antifascistes interdisent de convertir l'adversaire en symptôme ou en phénomène intéressant. Les guetteurs du mal absolu ripostent à la tentation nationaliste en célébrant, par exemple, la victoire de la France métissée lors de la dernière Coupe du monde de football ou encore en obtenant la mise à l'index immédiate d'un écrivain confidentiel, coupable de s'être agacé, dans son journal de l'année 1994, de la complaisance et de l'entre-soi identitaires auxquels se laissaient aller, selon lui, les chroniqueurs juifs d'une émission de radio consacrée à l'actualité culturelle. Mais que se passe-t-il quand les événements transgressent les scénarios de la vigilance ? Que se passe-t-il quand des dizaines de milliers de spectateurs franco-algériens sifflent *La Marseillaise* et qu'après avoir conspué l'équipe, pourtant toujours aussi métissée, de Barthez et de Zidane, les plus agités envahissent la pelouse du Stade de France un quart d'heure avant la fin d'un match de football où l'Algérie est menée quatre buts à un ? Le premier réflexe de la vigilance déconcertée est de minimiser la portée de l'incident et de déclarer que rien n'est arrivé sinon l'excès de liesse d'une poignée de supporters. Dès lors, cependant, que la réalité s'entête et résiste à sa dénégation, la compréhension prend la relève : « Ces jeunes, déclare la ministre française de la Jeunesse et des Sports, sont en situation de précarité. Ils cherchent à exprimer un malaise. Oui, il y a toujours un problème. Plus que jamais, il faut dialoguer. » Un sociologue engagé et un prêtre de terrain surenchérissent : « C'est leur souffrance d'avoir été si longtemps cassés entre leurs deux morceaux identitaires » qu'ont voulu mettre en scène ces enfants d'immigrés, « si souvent caricaturés à la rubrique des faits divers des banlieues à risque ». Énergumènes, eux ? Non, répondent en chœur Azouz Begag et Christian Delorme : énerg-humains [1].

Il n'y a d'injustifiable, aux yeux des vigilants, que ce qui porte l'estampille de Hitler ou, à défaut, de Vichy. Pour tous les autres immoralismes, pour les voitures incendiées, pour les pompiers accueillis à coups de pierre, pour les professeurs insultés et frappés, pour les bons élèves persécutés, pour les autobus dévastés, on ne doit pas parler de mal, mais de *malaise*. Il faut décrypter, chercher les causes, remonter infatigablement du *comment* au *pourquoi*, être à l'écoute et répondre à l'appel contenu dans ces violences qui ne sont elles-mêmes qu'une réponse au crime originel de la France coloniale et raciste. Quelques voix — algériennes — se sont élevées contre cette dissolution généreuse du décalogue dans le dialogue : « On ne manque pas ainsi de respect à un pays, la France et son peuple, qui, quoi que l'on dise, offre, malgré tous les extrémismes, hospitalité et tolérance », a écrit, sans ambages, le journaliste Ahram B. Ellias. « Il est temps, ajoutait-il, que les membres de

---

1. A. Begag et C. Delorme, « Énergumènes ou énerg-humains ? », *Le Monde*, 13.10.2001.

la communauté disent à ces jeunes qu'ils sont d'abord français et qu'ils ont des devoirs même si leur pays n'est guère tendre à leur égard. Et puis de quelle dureté parle-t-on ? En observant certains d'entre eux slalomer entre les CRS et les stadiers, je n'ai pas pu m'empêcher de noter qu'ils portaient sur eux l'équivalent, en vêtements de marque, d'un mois de salaire en Algérie[1]. »

Ces paroles sacrilèges retirent, à juste titre, l'alibi de l'humiliation à ceux que la langue en vigueur dans les ministères et les journaux désigne sous le nom pudiquement imprécis de « jeunes de banlieues ». Car les jeunes en question sont moins opprimés ou méprisés que séduits par un système expansif de production et de consommation qui ne leur parle qu'*immédiateté*, qui leur fait miroiter tout, tout de suite, et qui les pousse ainsi à délaisser les vieilles promesses exigeantes de l'intégration et de l'émancipation pour la promesse technique, fraîche et excitante de disposer du monde d'un claquement de doigts ou, comme disait Fellini, « d'avoir le maximum de choses, en excluant l'attention personnelle, la participation personnelle[2] ». Et ce qui entretient en eux la rage, c'est le sentiment d'être lésés dans leurs droits chaque fois que leur désir rencontre une impossibilité, une difficulté, ou une limite. À les gratifier, quoi qu'ils fassent, d'une compréhension infinie, on collabore à la transformation des droits de l'homme

---

1. A. B. Ellias, « Ces voyous font honte à l'Algérie », *Libération*, 09.10.2001.
2. F. Fellini, « En vieux marionnettiste », *Le Messager européen*, n° 1, POL, 1987, p. 130.

en *droits de l'homme de l'enfant gâté,* c'est-à-dire à la *décivilisation* du monde.

Autre événement frondeur, autre bouleversement du programme : Durban et son grand réquisitoire contre l'arrogance féroce du peuple qui se croit élu. Comment les vigilants ont-ils accueilli la déclaration du forum des organisations non gouvernementales attribuant « les actes de génocide et les pratiques de nettoyage ethnique commis par Israël » à « un système raciste qui est la forme israélienne de l'apartheid » ? Quelle a été leur réaction à cette brochure de l'Union des avocats arabes où l'on pouvait lire : « S'opposant au désir collectif de promouvoir une vie plus juste pour tous, le sionisme impose une discrimination entre les hommes fondée sur la religion, confondue avec le racisme et le nationalisme, prétendant que la fraternité humaine est à jamais impossible, incitant les Juifs à renier leurs devoirs envers eux-mêmes et envers les sociétés où ils vivent, dans le seul but d'une orientation raciste qui estime que c'est là leur salut[1] » ?

Les vigilants n'ont pas réagi. Ils n'ont pas protesté contre la confiscation par la cause palestinienne de toutes les injustices de la terre. Cette cause leur est apparue suffisamment forte pour justifier l'oubli du monde et des autres opprimés. Sans souscrire aux

---

1. Arab Lawyers Union, « That is the fact... Racism of Zionism and "Israël" », conference against racism, racial discrimination, xenophobia and related intolerance in Durban — South Africa, 2001.

propos excessifs qu'elle pouvait inspirer, ils les ont accueillis comme l'effet ou le symptôme d'une Occupation insupportable. Dans la violence du discours dont Israël faisait l'objet, ils ont vu une preuve supplémentaire de la cruauté israélienne. La même cause ou le même crime originel produisant des passages à l'acte chez ceux (toujours plus nombreux malgré l'allongement de la scolarité obligatoire) qui mettent un point d'honneur à ne pas laisser le langage endormir leurs pulsions, ils n'ont pas voulu jeter l'anathème ni même s'attarder sur les agressions et les incendies de synagogues ou d'écoles juives à Clichy-sous-Bois, à Sarcelles, à Marseille, à Asnières, à Créteil, à Garges-lès-Gonesse. La France vient ainsi de connaître une « année de Cristal » *à bas bruit,* car les vigilants ont choisi de comprendre, et ils l'ont fait avec d'autant plus d'ardeur qu'ils sont insoupçonnables : leur mémoire bondissante ne laisse aucune chance aux spectres et traque sans répit le déjà-vu de l'antisémitisme européen.

Les purs acclimatent le pire, le cœur gonflé par l'émotion de livrer bataille, et l'on se dit mélancoliquement qu'ils ne suivraient pas avec une telle détermination l'exemple de Stefan Zweig s'ils ne croyaient, dur comme fer, se conformer à celui de Klaus Mann.

« De moment à autre, écrit Claudel au début de son
Art poétique, un homme redresse la tête, renifle, écoute,
considère, reconnaît sa position : il pense, il soupire, et,
tirant sa montre de la poche logée contre sa côte,
regarde l'heure. *Où suis-je ?* et *Quelle heure est-il ?* Telle
est de nous au monde la question inépuisable[1]. »
J'ai vécu un de ces moments, j'ai ressenti ce besoin
imprévu et impérieux de consulter le cadran de l'Histoire en découvrant sur mon écran de télévision la campagne publicitaire pour le respect à l'école. Devant
l'image étrange et pathétique d'une civilisation aux
abois tablant sur la publicité pour *reconquérir l'audience*,
le mot de « postmoderne » que je regardais jusqu'à présent avec méfiance s'est brutalement imposé à moi
comme la seule réponse possible à la question *Quelle
heure est-il ?* J'ai compris qu'on n'a pas besoin de courir
ni même de hâter le pas : le vieux monde est derrière
nous, irrémédiablement. Et ce monde évanoui est le
monde moderne. Ce qui aurait fait hurler hier constitue la normalité d'aujourd'hui. En moins de temps

1. P. Claudel, *Art poétique*, Poésie/Gallimard, 1984, p. 36. (Je dois cette référence au *Cours familier de philosophie politique* de Pierre Manent, Fayard, 2001.)

que la vie d'un homme, le recours de l'État au slogan ludique et à la réclame séductrice pour introduire l'éthique dans l'école est passé de l'impensable à l'ordinaire.

Et ce n'est pas seulement le médium choisi pour enseigner aux adolescents l'alphabet de la vie collective qui a ouvert un gouffre entre l'époque que j'habite et celle où il m'a été donné de grandir, c'est aussi le style et le contenu du message. Les cinq personnalités préposées par le ministère de l'Éducation nationale à la défense et illustration du respect s'expriment avec d'autant moins d'élégance qu'ils se veulent plus authentiques. « Prends un mot, "bonjour" (dit, par exemple, l'écrivain Daniel Pennac). Imagine que les profs, les élèves, ou n'importe qui, pensent vraiment ce qu'ils disent quand ils disent "bonjour". Tu souhaites vraiment un bon jour à quelqu'un, du bonheur pour la journée. Ben, c'est ça le respect. C'est l'oxygène qu'on respire, c'est ce qui nous permet de vivre ensemble. » Même naturel chez la chanteuse Lââm : « Dans la vie, tu ne peux rien faire si tu ne respectes pas les autres. C'est pas facile, je sais, mais c'est le meilleur chemin. En fait, si tu ne respectes pas tes parents, tes profs, ton école, t'as tout à perdre. » Même conviction chez l'acteur Frédéric Diefenthal : « S'il y a une chose que j'ai apprise dans la vie, c'est qu'on ne réussit pas tout seul. Les choses qu'on arrive à faire, on les a d'abord apprises des autres, des profs, entre autres. Après, tout ce qu'on sait, c'est pour toujours, c'est cadeau […] respecter les autres, ses profs, ses copains, ça permet de se surpasser et d'être plus libre, plus tard. »

La déférence naguère s'opposait à la négligence, comme l'espace public au chez-soi, le lointain au prochain et le protocole à la spontanéité. Ces catégories visiblement n'ont plus cours. Pour rester crédible, l'institution doit afficher son mépris de l'institutionnel. Pour exister, elle est dans l'obligation de disparaître derrière des autorités dont la rhétorique, la réussite et le rayonnement sont le désaveu de ses critères d'excellence, mais qui « parlent aux jeunes à travers le cinéma, la musique, le sport[1] ». Pour être entendue, il lui faut *déscolariser* ses modèles autant que son discours. L'âge de la solennité, en effet, est révolu : l'heure a sonné de l'intimité générale. Même dans les grandes occasions, on parle avec son cœur, c'est-à-dire n'importe comment. Et dès que la langue s'avise de quitter l'*uniforme du laisser-aller*, on la traite de langue de bois, on fait les gorges chaudes de son insincérité et de ses grands airs. On ne déteste rien tant, de nos jours, que les manières et le style cravaté. Les égards sont ringards. La décontraction est universellement et continuellement *de rigueur*. Il n'y a aucune dérogation à l'impératif d'avachissement. Et le respect qui consistait à mettre les formes se flatte maintenant de les abolir. Nulle courbette, nulle étiquette, nulle formule de politesse ne s'interpose plus entre les hommes et le sentiment de

---

1. *L'École du respect*, 9.10.2001, ministère de l'Éducation nationale, p. 19.

leur similitude. D'où le choix d'un tee-shirt comme emblème de la campagne et de « prof » comme mot-fétiche du respect « au quotidien ».

Qu'est-ce, en effet, que le *prof* sinon le professeur dépouillé du lustre autrefois attaché à son nom et descendu de son estrade ? Au statut intimidant, le monosyllabe substitue la proximité familière. La disponibilité prend la relève de la supériorité : le titre devient un *job* et le maître, un mec, *sympa* si possible. Rien de magistral n'exhausse sa fonction ou sa parole. Le mot « prof » manifeste, si l'on peut dire, l'*effacement de la hauteur*. Le prestige se dissipe, la transcendance s'aplanit : reste l'assistance professionnelle. Et ce n'est même pas comme « pro » que le « prof » mérite la considération, c'est en sa qualité d'homme quelconque. Là comme ailleurs, respecter n'est plus distinguer, la dignité inhérente à chacun occupe seule l'espace du respectable. Le boxeur Brahim Asloum énonce en ces termes les raisons personnelles de sa participation à la campagne : « Le respect cela s'apprend dès le plus jeune âge dans la famille. On respecte déjà ses parents. Je respecte aussi mes petits frères, il ne faut oublier personne. » Et le ministre conceptualise : « Il s'agit d'aider à cette prise de conscience qui me fait "reconnaître l'humanité dans la personne d'autrui comme en moi-même" selon la belle formule de Kant[1]. »

Belle formule, en effet, seulement l'humanité dont parle Kant s'atteste non dans les inclinations ou les

---

1. *Ibid.*, p. 4.

impulsions de la subjectivité, mais dans la majesté du devoir. Ce qui fait la dignité des êtres humains, c'est leur capacité à s'élever au-dessus des passions nées de l'égoïsme et à se placer sous l'empire de la loi morale. Il y a un abîme, autrement dit, entre le respect de soi et l'autosatisfaction. L'humanité n'est pas agréable : elle terrasse la présomption, elle humilie les penchants, elle est la part de nous-même qui *rougit* de nous-même. Or, scande l'époque, il ne faut plus avoir honte : la rougeur n'est pas l'afflux de l'humain, mais un symptôme pathologique. Le respect contemporain s'emploie à résorber la distance creusée par le respect kantien entre le moi raisonnable et le moi empirique. On célèbre la reconnaissance de tous par tous, c'est-à-dire l'égale dignité de toutes les convictions, de toutes les opinions, de toutes les émotions, de tous les choix d'existence, et l'on honore sous le nom de « culture » ce que Kant opposait sous le nom de « nature » à l'autonomie, c'est-à-dire à l'humanité même de l'homme.

L'école du respect ignore superbement les distinctions fondatrices du *respect de l'école*. La réalité humaine qu'elle prend en charge est tout d'une pièce. La culture dont elle est occupée n'est plus une ascèse personnelle et une destination commune, c'est une origine particulière et un intouchable prédicat. Ce n'est plus un cheminement ou un arrachement, c'est un monolithe. Ce n'est plus le soin de l'âme — car l'âme a rendu l'âme —, c'est une déclaration d'identité. Alors même qu'il est confronté à la violence de l'*être brut*, notre monde

abandonne la culture de l'être pour l'apologie cultura-
liste de l'*être-soi*. Ce qui veut dire qu'il n'y a pas
d'échappatoire, que le remède est une variante du mal
ou encore que le processus de décivilisation qui nous
emporte n'est pas moins actif dans l'école du respect
que dans la haine de l'école.

Dire « nous sommes tous des Juifs allemands » ou
« des étrangers », « des clandestins », « des minorités
sexuelles », c'est protester au nom de l'humanité commune contre l'inégalité des conditions ; c'est s'identifier
aux exclus pour démasquer l'arbitraire de l'exclusion ;
c'est répondre à la discrimination par une déclaration
de ressemblance sur le modèle des Danois décidant,
leur roi en tête, de porter l'étoile jaune afin de mettre
les nazis dans l'impossibilité de procéder à leur sinistre
décompte.

Dire « nous sommes tous américains », au lendemain
du 11 septembre, c'était, en revanche, prendre acte de
l'état des choses. Pour les terroristes et pour les foules
qui se reconnaissent en eux, nous sommes tous, nous
autres Occidentaux, au même titre que les Américains,
des oppresseurs et des mécréants. Leur message criminel *nous* est destiné, quels que soient nos efforts pour
échapper à l'hégémonie américaine. La similitude est
de leur fait et nous aurons beau contester l'inquiétant
unilatéralisme de la Maison-Blanche, démonter des
McDonald's, déplorer l'éviction progressive de la
Toussaint par la sinistre gaieté de Halloween ou encore

défendre, bec et ongles, l'exception culturelle contre les diktats du marché, c'est-à-dire de Hollywood, nous resterons aussi coupables que les New-Yorkais. Notre solidarité avec les victimes des attentats, et les symboles visés à travers elles, ne consiste donc pas à franchir symboliquement l'océan qui nous en sépare, mais à convertir un destin en défi et à *vouloir* être dans le même bateau, alors même que nous nous y trouvons déjà.

Cette formule[1] exprime aussi la surprise et la tristesse de devoir conjuguer l'américanité à l'indicatif présent. Il faut, pour dire « nous sommes tous américains », avoir renoncé, au moins temporairement, à penser que nous le *serons* peut-être, c'est-à-dire à voir dans l'Amérique la terre promise des persécutés, la seconde chance des laissés-pour-compte. Il n'y a plus de terre promise, plus de recours géographique contre les tragédies de l'Histoire. La terre est une, hélas. L'ultime bastion de l'utopie est tombé, le lien du souci a remplacé celui de l'espoir et du rêve, l'Histoire est, comme dit Philip Roth, « une chose très soudaine » qui peut frapper n'importe où, n'importe qui et à tout moment. Nous sommes tous américains : nous portons tous le deuil de l'exception américaine.

Tous ? Pas vraiment. Ceux qui se croient chargés de la vengeance des peuples n'ont pas manqué de voir dans ces attentats l'œuvre d'une justice immanente.

---

1. C'est Jean-Marie Colombani qui en a le premier osé l'emploi, *Le Monde*, 13.09.2001.

Transporté, tel Néron, « par la fulgurance inoubliable des images » de Manhattan en feu, le philosophe français Jean Baudrillard fustige l'empire américain et, tel Tacite, l'accuse « d'avoir fomenté, de par son insupportable puissance, toute cette violence infuse de part le monde[1] ». « Tout finit par se payer » constate, pour sa part, la romancière indienne Arundhati Roy et, avant même que la riposte ne soit déclenchée, elle se demande, avec indignation : « Combien de morts afghans il faudra pour un seul mort américain, combien d'enfants morts pour un seul homme mort, combien de cadavres de moudjahidins pour le cadavre d'un seul banquier d'affaires[2] ? »

Banquier d'affaires : ce mot qui semble anodin instaure subrepticement entre les personnes assassinées et les symboles détruits une continuité sans faille. Il suggère que l'esprit capitalistique du World Trade Center habitait et animait tous ceux qui travaillaient derrière ses parois de verre. Pour les rédempteurs de l'humanité, américain veut dire bourgeois — et le bourgeois qu'ils montrent du doigt n'est pas l'*individu* du paradigme libéral, séparé, indépendant, adonné à ses intérêts et à ses plaisirs, mais le *membre* anonyme et interchangeable de la World Company. Réinvesti dans l'antiaméricanisme, le concept de classe bourgeoise abroge à nouveau la définition bourgeoise de l'homme et les distinctions civilisatrices qu'on lui doit entre le

---

1. J. Baudrillard, « L'esprit du terrorisme », *Le Monde*, 3.11.2001.
2. A. Roy, *Ben Laden secret de famille de l'Amérique*, Gallimard, 2001, p. 13.

public et le privé, l'économique et le politique, l'engagement dans la cité et la possibilité pour chacun de poursuivre ce qu'il juge être son bien suprême. Une seule différence emplit l'univers, celle qui oppose les oppresseurs aux opprimés. Si l'on en croit Arundhati Roy, les premiers, avec leurs « multinationales en maraude », gouvernent « l'air que nous respirons, le sol que nous foulons, l'eau que nous buvons, les pensées que nous avons[1] ». Dans une Histoire entièrement réductible à l'affrontement de deux volontés, ils incarnent le principe néfaste, ils sont dans le mauvais camp et ils ont à répondre de leur *appartenance* au même titre que le juge de Soledad ou les touristes séquestrés en plein désert par des Palestiniens qui avaient détourné leur avion et dont Jean Genet, admirativement cité par Michel Foucault, disait : « Un juge serait-il innocent et une dame américaine qui a assez d'argent pour faire du tourisme de cette manière-là[2] ? »

Devant la collusion du tout-religieux (la guerre sainte) et du tout-politique (la guerre de classe), que représente l'Amérique sinon le monde où *rien n'est tout* et l'irréductibilité de la pluralité humaine ? S'en réclamer, dans cette bataille, ce n'est pas faire allégeance au pouvoir mondial qui se cacherait derrière la mondialisation des flux et des échanges, c'est, bien plutôt, prendre le parti de la limite et combattre sous toutes ses formes la négation de la finitude.

1. *Ibid.*, p. 28.
2. M. Foucault, *Dits et écrits*, t. 2 (1954-1988), Gallimard, 1994, p. 231.

Combattre, oui, mais comment ? Sur la base de la légitime défense, les États-Unis ont choisi sans hésiter l'option militaire. Ils traquent les terroristes jusque dans leurs grottes, qu'on pensait inexpugnables. Ils détruisent l'armée du régime qui les abritait et contribuent ainsi à son renversement. Resurgit là, entre eux et nous, une différence qui ne peut être comblée que de manière fantasmatique. Si les Américains sont devenus, comme tout le monde, vulnérables, personne d'autre ne peut répondre vite, fort et victorieusement à une agression comme celle qu'ils ont subie. Supposons un instant que Paris ou Rome ait été attaquée, ni la France, ni l'Italie, ni l'Europe en leur nom n'auraient été en mesure de riposter. Les États-Unis sont le seul pays capable d'agir à l'échelle planétaire.

Il y a donc une part de bovarysme dans notre sentiment d'identification. Américains, nous le sommes aussi au sens où nous exauçons, par le truchement de leurs avions et de leurs *boys,* un désir de vengeance que nous avons perdu la possibilité, mais aussi l'ambition, de réaliser nous-mêmes. L'Europe qui se construit, en effet, ne promet pas la sortie de l'impuissance, mais *la sortie du politique*[1]. Loin de donner forme à l'existence collective, elle affirme pour les ressortissants de chacun des pays membres « une sorte de droit aux produits et

1. Voir P. Manent, *op. cit.*, p. 331.

aux services des autres pays [1] ». Son inavouable aspiration, c'est d'être elle-même un espace indemne de la tragédie, un grand marché sanctuarisé, une sorte d'Amérique en somme, et elle ne peut caresser ce rêve qu'à l'ombre de la puissance américaine. Les anti-impérialistes ont raison de s'en émouvoir. Mais sont-ils conséquents ? Veulent-ils vraiment le retour au politique, c'est-à-dire aux contraintes de la responsabilité pour le monde, qu'implique leur protestation ?

1. Paul Thibaud, *Discussion sur l'Europe (avec Jean-Marc Ferry)*, Calmann-Lévy, 1992, p. 40-41.

Dans son *Journal,* qualifié par lui d'*inutile,* mais dont il a pris soin de déposer les trente-deux cahiers manuscrits à la Bibliothèque nationale, et qui, suivant ses instructions, a été publié en 2001, Paul Morand, libéré du souci d'amadouer ses contemporains, s'exprime sans détours.

Le 16 juillet 1968, il écrit : « On m'a répété de 1940 à 1968 : "Vous, si anglophone, comment avez-vous pu lâcher l'alliance franco-anglaise ?" En 1940, j'ai ignoré l'appel du 18 Juin, voyant de Gaulle arriver à Londres entouré de communistes et de juifs. En 1968, il dénonce Israël comme dominateur et Moscou comme La Mecque du totalitarisme. Qui a changé, lui ou moi [1] ? » À la date du 19 mars 1972, on lit ceci : « Le génie ergoteur de Berl. Le Talmud, son école [2]. » Le 21 juin de la même année, Emmanuel Berl est traité de « journaliste kabbaliste [3] » et le 3 janvier 1975, la même idée est déclinée en ces termes : « La ferme normande de *Regain* de Berl ressemble à

---

1. P. Morand, *Journal inutile,* 1968-1972, Gallimard, 2001, p. 30, 31.
2. *Ibid.,* p. 673.
3. *Ibid.,* p. 734.

un kibboutz, plus près du Golan que de la ferme d'Auge[1]. » Ces remarques éparpillées donnent une saveur particulière à la réflexion du 24 octobre 1971 : « Berl m'a toujours détesté, souffrant d'aimer les mêmes choses que moi, m'en voulant de les aimer, à l'étage au-dessus[2]. »

Mais, qu'on se rassure, l'auteur de *Tendres Stocks* ne laisse pas ces considérations raciales lui dicter le choix de ses relations. Le 15 octobre 1973, en pleine guerre du Kippour, il note : « Je trouve mes amis juifs affolés, consternés. Je leur dis : "Vous, vous redoutez les Russes ? Quand nous les redoutions à Vichy, nous étions de mauvais Français. Or Brejnev continue Hitler, son ancien allié." S. me dit : "Je ne dors pas ; tous ces beaux jeunes gens tués..." Je réponds : "C'est ce que nous disions en 1939 et vous nous traitiez de monstres. — Tous ces massacres... — En 1944, vous avez laissé tuer cent mille Français sans dire un mot et, au contraire, en applaudissant[3] !" »

« Le Monde des livres », l'institution française qui tranche souverainement du bon et du mauvais en matière littéraire, a réservé à ce *Journal* l'accueil globalement positif espéré par Morand. Mais tout le monde, même au *Monde*, n'a pas été à la hauteur. Il y a eu des couacs, des critiques, des mouvements divers et d'humeur. Ce dissentiment a déplu en haut

1. *Ibid.*, 1973-1976, p. 411.
2. *Ibid.*, 1968-1972, p. 609.
3. *Ibid.*, 1973-1976, p. 149.

lieu. La rédactrice en chef, Josyane Savigneau, y
revient donc, neuf mois après : « Le conflit, décrète-
t-elle, n'a pas été entre droite (indulgente à l'égard
du vichysme de Morand) et gauche (hostile), mais
entre ceux, de droite ou de gauche, qui admirent
la vitalité, la séduction, le caractère de Morand (ne
jamais se repentir) et ceux qui détestent tout
cela [1]. »

La même instance qui refuse l'« installation insi-
dieuse du pire » mène une implacable guerre du goût
contre l'humanité moyenne et minable. Au nom du
premier principe, Renaud Camus se voit solennellement retirer le droit de se défendre (et d'être
défendu), tandis que le second critère oppose les
individus au troupeau, la singularité gaiement
cultivée par les êtres supérieurs aux passions coagu-
lantes de l'innombrable dernier homme, les « happy
few » de la jouissance et de l'art aux philistins, aux
réactifs, aux gros balourds tristes qui n'ont pas
l'oreille assez musicale pour apprécier, jusque dans
le *Journal inutile*, le « swing » de Paul Morand.

Entre la mémoire aux aguets et le culte des exceptions, allez vous y retrouver pour être, à tout coup,
tendance ! Un jour vigilant, le lendemain politiquement incorrect, passant sans crier gare de l'antifascisme ombrageux au dandysme dédaigneux, le pouvoir spirituel de notre temps semble décidément bien

1. Josyane Savigneau, « Pour retrouver Hervé Guibert », *Le Monde*,
23.11.2001.

frivole et versatile. Il y a pourtant une continuité dans cette inconséquence : celle du Tribunal qu'il incarne et des procès qu'il ne cesse d'intenter en s'abreuvant à ces deux sources intarissables de la persécution : l'amour de l'humanité et le mépris des gens.

Le bouffon prophétique

Pour rompre le charme du pire et sortir d'une répression qui alimente la violence qu'elle a pour mandat d'éteindre, les Israéliens sont de plus en plus nombreux à envisager la séparation unilatérale, c'est-à-dire la création *par Israël* d'un État palestinien. Le divorce à l'amiable n'ayant pas pu se faire, et l'impasse militaire ayant succédé au fiasco diplomatique, le temps est venu, dit-on, de la répudiation : « Puisqu'ils sont incapables de se séparer de nous, séparons-nous d'eux et sécurisons par un *mur continu* la frontière que nous aurons nous-mêmes tracée. Pour la paix des braves, on verra dans vingt, trente ou cinquante ans. »

Cette thèse, qui implique l'évacuation des implantations situées au-delà du mur, est politiquement plus réaliste et moralement plus acceptable que la volonté de faire ou d'avoir la paix en gardant un maximum de territoires. Elle doit cependant réjouir, s'il existe, le bouillant sosie de Philip Roth qui, à en croire *Opération Shylock,* a usurpé naguère l'identité du célèbre romancier et ardemment milité sous son nom pour le diasporisme, c'est-à-dire le retour de la majorité des Israéliens dans le principal foyer de la culture juive : l'Europe.

Israël, affirmait en substance cet imposteur, n'est plus le havre des persécutés, mais le lieu de tous les dangers. Le *refuge* d'hier est devenu le ghetto d'aujourd'hui, et réciproquement.

Ce raisonnement est-il bouffon ? Oui, si, malgré les échecs, les frustrations, la méfiance, la peur, la haine et le redoublement de la guerre entre les deux peuples par les affrontements internes à chacune des sociétés, on choisit non certes le processus de paix — cette illusoire *fatalité du Bien* —, mais le *risque* du compromis. Si, en revanche, faute d'imagination, de courage ou simplement d'autre option pour sortir d'une guerre introuvable, *l'issue prend la forme du mur*, alors, dans le bouffon, il faudra saluer un prophète, et la solution de la question sioniste, dans sa théorie du diasporisme.

Persécution scolaire

« Quand les lycéens manifestent, ils empruntent certes les canaux classiques de la revendication. Mais derrière la demande d'une meilleure démocratie lycéenne, il y a l'expression d'une souffrance, délicate à résoudre, et qu'ils traduisent par la demande très générale de "droits". Ce malaise provient de deux éléments conjugués. Les lycéens savent qu'il leur faut faire des études sans avoir de certitude d'être récompensés. Ils savent aussi que le parcours des élèves finira par diverger et qu'une sélection des meilleurs s'opérera. »

Patrick Rayou, maître de conférences
en sciences de l'éducation, *Le Monde*,
dimanche 25-lundi 26 novembre 2001.

Les guillemets de l'excellence

« Est-il si nécessaire que les dirigeants de l'État soient les "meilleurs" selon les critères redondants de l'excellence ? Le service de l'État est-il si compliqué que seuls les "meilleurs" de la classe puissent faire front ? L'État et ses missions seraient mieux servis par ceux qui en ont le goût, et, pourquoi ne pas le dire, la vocation. Personne n'arrivera jamais à prouver que ce service nécessite absolument l'excellence dans la rédaction des notes de synthèse, la capacité à rédiger de bons rapports, à faire des discours, à participer à des réceptions officielles ou à de petits comités. S'il faut que les "meilleurs" dirigent l'État pour que l'autorité de celui-ci s'impose, c'est justement que l'État se confond encore avec la domination sociale et que la poursuite des fins collectives ne suffit pas à justifier l'autorité. »

Alain Garrigou, « *Les Élites contre la République* ». *Sciences-Po et l'ENA*, La Découverte, 2001, p. 238, 239.

Le double stigmate

« Elle se décrit comme "assez typée" et imaginait bien qu'un jour on lui ferait remarquer qu'elle est juive. Jamais, cependant, Mme V., jeune professeur de lettres-histoire, dans un lycée professionnel de Seine-et-Marne, n'aurait imaginé cela. "Ce jeudi 29 novembre, j'ai découvert, en prenant ma classe de BEP-comptabilité, que le cahier d'appel était couvert d'énormes tags : des croix gammées, des messages en grosses lettres capitales qui disaient : 'Ta mère sale juive', 'Vive Hitler', 'À mort Mme V', 'Casse-toi', 'Nazi en force'." Malgré le choc, l'enseignante fait cours. "C'était très dur ; ils étaient un peu impressionnés de me voir réagir ainsi. Puis j'ai entendu une voix masculine qui disait : 'Sale juive.' Des élèves m'ont dit qu'ils se faisaient traiter de 'sales noirs' tout le temps et qu'ils ne voyaient pas pourquoi je m'énervais ; un autre m'a dit : 'On est en démocratie, on a bien le droit d'être antisémite'" [...]. Dans ces classes, "melting pot", de lycées professionnels, le fond du problème ne relève pas de l'antisémitisme, analyse Mme V., qui range parmi les "provocations" les soutiens affichés à Ben Laden ou les immanquables réactions suscitées par le programme d'Histoire quand il aborde la Shoah, qualifiée de "plus grand barbecue du siècle" par certains. Non, le problème, explique-t-elle, "c'est la guerre des élèves contre les profs. Tout est prétexte pour mettre la zizanie. S'ils apprennent quelque chose sur un prof, ils s'en servent. Cela aurait été pareil si j'avais été homosexuelle". [...] Orientation et relégation scolaires, "laxisme dans la pédagogie et la discipline", discrimination sociale expliquent, selon elle, les réactions "de plus en plus agressives des *élèves*". "Ils ont la haine, dit-elle, la haine des Français." »

> Nathalie Guibert, « On a bien le droit
> d'être antisémite ! » *Le Monde*, 4 dé-
> cembre 2001.

Intifada

« L'agrafeuse a volé. Des mains d'un élève de troisième vers le professeur qui se tenait au tableau.

L'agrafeuse n'a pas atteint sa cible, mais le moral des enseignants du collège Victor-Hugo, à Noisy-le-Grand (Seine-Saint-Denis), en a pris un coup [...]. À quelques dizaines de mètres du collège, en plein milieu de la cité du Pavé-Neuf, dans une salle non chauffée, une quinzaine de professeurs, la plupart âgés de moins de trente ans, font le récit, devant une vingtaine de parents interloqués et une dizaine d'élèves, moins surpris, des "insultes", "tentatives d'intimidation" et autres "pressions" subies [...]. La réunion s'achève par la signature d'une pétition et les enseignants repartent en petits groupes pour faire face plus facilement aux éventuelles agressions. En début de soirée, une voix anonyme les a traités de "fils de pute" tandis que quelques pierres volaient dans leur direction. »

Luc Bronner, dans un collège de Noisy-le-Grand : « Le plus grave c'est que certains cours sont volontairement sabotés », *Le Monde*, 22 décembre 2001.

Où suis-je ? Quelle heure est-il ?

« Une projection du film *Harry Potter*, organisée par l'association juive KKL (Keren Kayemeth Leisrael) pour un millier d'enfants à l'occasion de la fête de Hanoukka, a dû être annulée à la suite de menaces reçues par la direction du Paramount

Opéra, un cinéma situé boulevard des Capucines dans le IXᵉ arrondissement de Paris. Le directeur général de la Paramount, Guy Didier, qui a préféré annuler la projection, a indiqué, vendredi 14 décembre, qu'il avait reçu une *centaine*[1] de messages électroniques et plus de *trois cents*[1] coups de téléphone de menaces depuis le début de la semaine. "'Vous êtes un assassin', 'Vous aurez du sang juif sur les mains', 'Vous êtes complice du financement d'une colonie illégale', sont quelques-uns des messages et menaces que nous avons reçus", a précisé M. Didier. »

Le Monde, 16-17 décembre 2001.

Le vrai coupable

« Les accusations d'antisémitisme lancées par les institutions juives de France à l'encontre des médias français, la violence passionnelle des réactions et l'opprobre jeté sur toute attitude critique à l'égard d'Israël témoignent de la confusion et de l'échauffement des esprits. Confondant non-sionisme et antisémitisme, ces réactions se multiplient depuis que la guerre coloniale en Palestine-Israël redouble de violence. Ainsi, les institutions juives de France font peser aujourd'hui un danger sur les Juifs et le

---

1. Je souligne.

judaïsme et plus particulièrement sur la cohabitation entre Français juifs et musulmans au sein de la République. »

Eyal Sivan, « La dangereuse confusion des Juifs de France », *Le Monde*, 8 décembre 2001.

Le pessimisme jubilatoire
d'Ouzi Landau

Ein Brera — il n'y a pas le choix : depuis la guerre d'Indépendance et la fondation de l'État, on utilise cette formule en Israël pour désigner la politique du dos au mur, ou à la mer.

Après quatorze mois d'Intifada, c'est-à-dire derrière le rideau de fumée des cailloux contre les tanks, d'attentats et de mitraillages indiscriminés visant à obtenir par la confrontation ce que la négociation ne pouvait offrir, Israël n'a peut-être pas d'autre choix que de mettre l'Autorité palestinienne temporairement hors jeu et de confier directement à son armée la charge de combattre le terrorisme. Mais pour Ouzi Landau, le ministre israélien de la Sécurité intérieure, cette charge est légère, cette contrainte est bienvenue, cette corvée tombe à point nommé. Il y a de la joie dans son *Ein Brera*. C'est avec une martiale allégresse qu'il voit la vérité effective de la *lutte à mort* dissiper la chimère d'un compromis qui requérait l'évacuation d'un nombre significatif d'implantations juives. Tout en se voulant réaliste, il salue la dure nécessité comme un don du ciel, un clin d'œil de la conjoncture, une occasion à ne pas manquer, le moment où jamais de mettre les choses au point : « Le jour où tout espoir de nous faire déguerpir d'ici aura abandonné les Palestiniens, ils accepteront de signer avec nous une paix intérimaire à long terme parce qu'ils n'auront pas d'autre alternative [...]. Ce qui est sûr, c'est que jamais nous n'accepterons un État palestinien. Ce serait une catastrophe [1]. »

Aux yeux d'Ouzi Landau, la défection du partenaire d'Oslo n'a pas constitué mais *évité* la catastrophe. Dans les mois qui ont précédé son accession à un poste ministériel, il a senti passer le vent du boulet de l'accord. Maintenant il respire : il l'a échappé belle. Il se targue de défendre la civilisation contre le fanatisme. Mais rien ne serait plus cauchemardesque pour lui, rien ne le déstabiliserait davantage que des Palestiniens modérés, des adversaires civilisés rêvant de promouvoir leurs intérêts nationaux et non de reconquérir Jérusalem pour le compte de l'Islam. Il sait gré à l'ennemi d'avoir criminalisé la présence juive en Palestine en sacrifiant la perspective d'un État souverain à l'exigence du droit au retour, et il veut maintenant profiter de ce que les revendications palestiniennes ont d'inadmissible pour les écraser dans ce qu'elles ont de légitime.

En ces temps où l'antisémitisme se déchaîne au nom de la misère du monde et se conjugue, comme on l'a vu à Durban, avec la religion de l'Humanité, la tentation

---

1. O. Landau, propos recueillis par S. Cipel, *Le Monde*, 14.12.2001.

est grande de dire *Ein Brera*, de reporter la critique des siens à des jours meilleurs en se concentrant, pour ne pas entendre ce que dit Ouzi Landau, sur le malin plaisir journalistique à présenter comme la vérité d'Israël un point de vue extrême, contesté au sein même du gouvernement israélien. Mais il y a le choix. Il y a même l'impérieuse obligation, quand on tient pour un scandale la haine des Juifs en ses nouveaux atours, de dénoncer sans relâche ceux qui la perçoivent comme un cadeau.

Créanciers du monde

Longtemps — deux siècles — la distinction du progressiste et du réactionnaire a donné sens à l'Histoire. Mais maintenant ? Le clonage qui vient, est-ce un progrès ? Et la transformation de l'enfant à naître en produit de la science ? Et l'incapacité grandissante à voir dans le handicap autre chose qu'une erreur médicale ou un scandaleux défaut de fabrication ? Et l'entrée dans l'univers où rien ne devant par principe (de raison) échapper au calcul, il n'y aura plus de place pour l'aléa, mais seulement pour les *coupables du sort* ? Et la croissance exponentielle du trafic aérien ? Et les villages rasés, le vacarme propagé, les morts déménagés pour y faire face ? De l'embryon d'embryon cloné par un laboratoire américain à la décision de créer un troisième aéroport parisien en Picardie afin d'accueillir dans les meilleures conditions les cent quarante millions de passagers annuels annoncés dès 2020, l'actualité tord quotidiennement le cou à l'idée d'un essor conjugué de la technique et de la douceur.

Naguère encore, on comptait sur le mouvement — intellectuel, scientifique, social — pour améliorer l'existence, civiliser le monde et arracher l'Histoire à la fatalité de l'éternel retour. C'est désormais la fatale brutalité du mouvement qui empoigne le monde. Comme le dit profondément Karel Kosik, le transport est le maître qui gouverne l'époque, son souverain invisible : « Tout est subordonné au transport et doit lui servir[1]. » Les obstacles dressés par la tradition, la morale ou le goût de la beauté à son expansion et à ses expéditions victorieuses tombent un à un.

L'urbanité des villes lui est sacrifiée, mais aussi la paix des campagnes, l'intégrité des corps ou les frontières entre les espèces. Des gènes aux gens, des marchandises aux informations, de l'animal à l'humain, de l'inerte au vivant, tout circule, s'échange, se mélange, se combine dans une trépidation sans fin.

« Je me relie donc je suis. La relation précède toute existence[2] », écrit, transporté de joie, Michel Serres. Et même l'euro lui donne raison. Le graphisme des nouveaux billets de banque délaisse, en effet, les grands hommes trop lourds, trop statiques, trop telluriques, trop nationaux, trop *Dasein* pour des ponts virtuels ou des esquisses architecturales si délibérément indécises qu'« on dirait des halls de gares, des portes ouvertes, des endroits pour courants d'air[3] ».

Cette extase communicationnelle montre que les élites en charge de l'avenir n'ont pas enregistré le

---

1. K. Kosik, « Victoire de la méthode sur l'architectonique », *Le Messager européen*, n° 7, 1993, Gallimard, p. 65.
2. M. Serres, *Hominescence, op. cit.*, p. 286.
3. B. Cassen, cité dans M. Van Renterghem, « L'identification entre monnaie et nation n'est plus d'actualité », *Le Monde, Voyage extraordinaire au pays de l'euro*, 23.11.2001.

lâchage pourtant flagrant du progrès par le mouvement. Avec une éloquence inchangée, nos techno-
crates célèbrent le changement et, avec un zèle inlassable, nos gouvernements s'emploient à « faire bouger
les choses », c'est-à-dire à faire advenir la fatalité sur
l'air de la libération. D'où le réveil et l'irruption sur la
scène publique d'un acteur jusque-là plutôt discret et
même somnolent : le *citoyen*. À la différence du *militant*
classique, le citoyen ne se place pas dans la perspective
radicale d'une autre société ; à la différence de l'*individu* qui se contente d'être un intermittent du spectacle
politique et qui vaque à ses affaires entre deux élections, il décide de ne pas laisser les décideurs décider
seuls des affaires communes.

Le refus de s'en remettre, les yeux fermés, aux élus
et aux experts témoigne d'une belle vitalité démocratique. On peut cependant regretter que l'actuelle philosophie citoyenne retraduise systématiquement un processus destinal en pouvoir dictatorial, que les doléances
citoyennes s'énoncent exclusivement dans l'idiome des
droits (de l'homme, des femmes, de l'enfant, des minorités ou, comme on aime aujourd'hui à dire, des multi-
tudes) et que le projet citoyen réintègre sans coup férir
le grand récit progressiste en opposant à l'égoïsme criminel des Maîtres l'instauration du règne humain. Car
le règne humain, nous y sommes, jusqu'au cou. Il n'y
aura bientôt plus de lieux où ne s'entende le *vrombisse-
ment de l'homme,* ni de réalité distincte de ses artefacts.
« La nature devient plus ce qu'on invente que ce qu'on

explore[1] », constate François Dagognet et Michel Serres, déjà cité : « Nous faisons naître, au sens étymologique du terme, une toute nouvelle nature, en partie produite par nous et réagissant sur nous[2]. »

C'est justement lorsque s'efface la différence entre *être* et *être à disposition* que tout dans la vie des hommes — la santé, le bonheur, la fécondation, le savoir, le diplôme — se présente comme un droit de l'homme. Et c'est quand le dispositif de l'universelle ustensilité recouvre le monde que la *responsabilité* pour celui-ci cède le pas chez les citoyens eux-mêmes, chez les citoyens d'abord, à l'expression courroucée d'une inépuisable *créance*.

1. F. Dagognet, *Considérations sur l'idée de nature*, Vrin, 2000, p. 129.
2. M. Serres, *op. cit.*, p. 182.

Le cœur net   *Jour de l'an*

« Dans la vie courante, quand on dit qu'on pense à quelque chose, on se réfère au côté flou du film mental, extraordinairement flou. L'envie d'écrire pour moi relève essentiellement d'un besoin de préciser, d'en finir avec ce flou et de régler le compte avec l'expression. »

Julien Gracq

Achevé d'imprimer
sur Roto-Page
par l'Imprimerie Floch
à Mayenne, le 28 mars 2002.
Dépôt légal : mars 2002.
1er dépôt légal : février 2002.
Numéro d'imprimeur : 54037.
ISBN 2-07-076539-3 / Imprimé en France.